国家出版基金项目
NATIONAL PUBLICATION FOUNDATION

《三联经典文库》

第二辑

2012 年国家出版基金项目

三联经典文库

195

初访美国

费孝通 著

生活·讀書·新知 三联书店

图书在版编目(CIP)数据

初访美国 / 费孝通著. -- 北京：生活·读书·新知三联书店，2014.1
(三联经典文库第二辑)
ISBN 978-7-108-04693-2

Ⅰ. ①初… Ⅱ. ①费… Ⅲ. ①散文集－中国－当代 Ⅳ. ①I267

中国版本图书馆CIP数据核字(2013)第246624号

195 初访美国

责任编辑	龚黔兰
封扉设计	蔡立国
责任印制	徐　方
出版发行	生活·讀書·新知 三联书店 (北京市东城区美术馆东街22号)
邮　　编	100010
经　　销	新华书店
印　　刷	北京鹏润伟业印刷有限公司
版　　次	2014年1月北京第1版　2014年1月北京第1次印刷
开　　本	787毫米×1092毫米 1/32　印张 7.875
字　　数	108千字
定　　价	29.00元

《三联经典文库》出版缘起

适逢生活·读书·新知三联书店八十华诞，为弘扬传统，接续文脉，回报读者，服务社会，我们决定策划出版《三联经典文库》。

1932 年 7 月，生活书店在上海创办，此后，读书出版社和新知书店相继成立。本文库第一辑、第二辑所选图书，来自于这三家出版单位及其分支机构，以及 1948 年生活·读书·新知三联书店成立后的出版物，始于 1932 年，截至 1951 年，两辑各一百种。此为第二辑，涉及政治、经济、社会、军事、思想文化诸领域，涵盖专著、文集、散文、小说、诗歌、传记、报道等体裁，既有直面现实、追求真理、讴歌真善美、抨击假恶丑的原创作品，又有引介世界各国先进文化、传播新知、开启民智的迻译之作，真实记录了那一代知识分子的思考与探索、理想与愿景和对中华民族文化传承与创新所做出的努力与贡献。

本文库所辑入各书，多为名家名作，在版本方面，以初版一印本或经著译编者审定、修订、增订过的版本为首选，因此本文库又具有较为珍贵的版本价值和收藏价值。

本文库还将编选续辑，使之成为恢弘文化工程。诚挚希望读者给予批评和指正，帮助我们完善编选工作，再现三联经典作品之风采。殊为遗憾的是，由于年代久远，一些原著译编者及其后人未能取得联系并奉付稿酬，诚盼版权所有者与我们联系。祈愿三联前辈所创造的精神财富能薪火相传，为中华文化的伟大复兴增光添彩。

《三联经典文库》编辑委员会

2013 年 8 月

凡　例

一、本文库为重排本，由繁体字竖排版改为简体字横排版。

一、以忠实于原作、整旧如旧为编辑原则，对当时使用的专有名词、外文译名，以及民国时期的语言和特色予以保留。

一、原书注释如旧，编者所出的注释，均以“编者注”标明，以示与原书注释的区别。

一、对原书残缺或字迹漫漶之处，以□示代。

一、对繁简文本转换时的“如右”、“见左”一类，对应改为“如上（前）”、“见下（后）”。

一、对原书中各种错讹脱衍之处，直接订正，不再以其他符号标示。

一、对数字、标点符号的用法，在不损害原文语义的情况下，做必要的规范。

一、本文库各书均前插原书书影、原书版权页和文库版“本书出版说明”。

一、本书出版说明的撰写，以客观中立为原则，扼要介绍本书的内容、版本流转、著译编者的情况。

本书出版说明

本书是有关美国文化以及中美文化比较研究的普及读物。在轻松可读的文字中，作者从衣、食、住、行等方面，以人类学者的视野，为读者呈现了美国人的性格、美国的历史文化。作者认为美国本是一个文化和民族的大熔炉，要化解文化、民族的隔膜，需要相互了解，相互包容，以取长补短，共同进步；本书兼具比较研究的视角，以辨析中美文化特点，为拿来主义提供了方法论上的指导。

本书由美国新闻处 1945 年 9 月初版于重庆，生活书店 1946 年 6 月、8 月据此初版本又刊行了首印本和再版本。此次出版即以 1945 年 9 月初版本为底本。

费孝通（1910-2005），江苏吴江人。幼年入母亲创办的蒙养院接受教育。1928 年考入东吴大学学医，后弃医改学人类学和社会学，曾先后在燕京大学、清华大学学习，毕业后获公费赴英留学。1938 年获伦敦大学哲学博士学位后回国，开展社会调查，进行民族学、人类学和社会学研究。1940 年代，一度访美，回国后加入中国民主同盟，投身爱国民主运动。1949 年后，主要从事教学、少数民族调查和识别等工作。1979 年后致力于社会学学科的重建和乡镇企业研究，积极参与社会活动，历任中国科学院哲学社会科学学部委员，中国社会学学会会长，全国人大常委会副委员长，全国政协副主席。著作结集为《费孝通文集》。

生活·读书·新知三联书店

2013 年 8 月

美国新闻处1945年9月重庆初版书影

（生活书店1946年6月、8月据此初版本又刊行了首印本和再版本）

初訪美國

非賣品

出版者 美國新聞處

重慶兩浮支路

一九四五年[illegible]初版

原书版权页

目次

壹　人生的另一道路

十多年前，我接到过庆堃的一封信。庆堃是我在大学里时朝夕在一起的朋友，他一毕业就去了美国。这封信是他初到美国时写给我的。信不知已丢在哪里，可是我还是很明白的记得信上的话。他说："我已从西岸到了东岸，走了有一星期多的路程。一路我并不觉得生疏。在香港、上海生长的，在未名湖畔（燕京大学）住惯的人，不会觉得这是个异邦天地。不过，我真希望你来看一次：在这相当单调缺乏地方性的旅行中，（怎能说不单调？每个城市都是一般的建筑，一般的布局：连小镇也都是都市的缩形！）你会觉到人类创造力的伟大。你只要想一想：这只有三四百年历史，不，从每个都市小镇说，三四百年在美国还算是远古洪荒时代。在这短的时间中，人类会造出这一个神工鬼斧所不易完成的巨业。什么巨业？在这草原万里上造下千百个大上海、小上海。你尽管可以不承认这是个艺术品，其实你若不被羡妒蔽了眼，清洁的街道，没有臭气的路角；平凡但实用的小住宅，沿路大玻璃窗里的彩色和棱角；晚上，你不用提心吊胆，脚下的污泥和身边的掱手……这一切也有它的美。即使你不承认这些，你也绝不能忽略了在这千百个大上海、小上海的成就中所表现出来人类的创造力！

> 我们小的时候，伏在屋角里看蚂蚁搬家，看它们忙忙碌碌的衔泥筑窝。引诱着我们童心的岂不就是这宇宙里含着的那股创造力。我们有时故意的用了我们超越蚂蚁的力量，给这些小生命来一个无妄之灾；一投足、一举手之间，把它们所创造下的一切捣乱成稀烂的一堆；我们觉得高兴了。这高兴也不就是出于我们在和蚂蚁的较量比力之下，所发现自己超越的力量？我现在刚被蜿蜒疾驰像一条长蛇似的火车载到了这世界最大的都市中心；在摩天高楼的

顶上，俯视着细长的街面上来往如小甲虫的汽车，童时的情绪又在心头复生。这时，可是，我开始了解蚂蚁在孩子手下时所具的慌张和惊骇了。我认识了一个超越的力量，我确有一些慌张和惊骇；但不仅如是，当我记起目前的一切不过是人类的创造时，一种骄傲和自大安慰着我，我也是人类的一个，不是么？这些不过启示了我自己潜在的力量，这又怎能不使我兴奋和高兴呢？

我真愿意你在这里，我怕你在乡下住久了会忘记这种潜在于我们人性里的创造力。我记得你有一次从乡下调查回来，曾经很得意的和我谈，你好像发现了什么新鲜的真理一般，夜深了，洋烛都点完了，还不肯住口。你说：一个人重要的是在知足。文化是客，人生是主，人生若是在追求快乐，他必须要能在手边所有的文化设备中去充分的求满足。满足是一种心理状态，是内在的。像我们的老乡，一筒旱烟，半天旷野里的阳光，同样的能得到心理上的平静和恬适，你说你并不一定反对用“开末尔”来代旱烟，太阳灯来代旷野里的阳光，可是若是为了要去创造“开末尔”和太阳灯，你终天要关在大厂房里听烦人的机器声，满心存了阶级争斗，人家在剥削自己的心理上，那才未免太苦了，未免主客倒置，未免对不起人生了。你说，做人是一种艺术，这艺术的基本是在迁就外在的文化，充实内在的平衡。你发挥了“知足常乐”的文化观。我当时似乎给你说动了，可是当我经过了这次的旅行，我不能不希望你也赶快来一趟。这世界会告诉你人生的另一道路。若容我最简单的说就是在动里，在创造里，在理想的外形化的过程里，在永远不会餍足的追求里，一样是有人生的兴趣。若再容我说一句：你的说法，应当再推一步，连旱烟，连旷野里的阳光都不必，死才是最平静、最恬适的境界。我不敢反对你，也许死后我会同意你，可是，你不致否认我这样说罢；假使死是最高艺术的完成，这是不必求的，因为很快的我们总是会得到的。何必愁？可是我们既然在死之前有这几十年的时间，在这个世界里，这个世界是属于还没有死的人的，不是么？则何必不利用这短短的时间，在生里，在动里，在不厌里，在追求里去体会另一种死后绝不能再得的兴趣和境界呢？我也许不能在字里行间传达这另一种兴趣和境界给你，所以我只有希望你早一些来这个世界，这个在地球另一面的世界里，我相信会给你看见人生的另一道路。

我靠了自己的记忆，默出了这十多年前一个朋友从美国寄来的一封信，不但是因为我想在这里用另一个人眼睛里所见的美国来做我这本关于美国的小册子的导言；同时，这信里的确包含了我多年来一个矛盾的想法；也许不只是我一个人，我相信这是每一个认真为中国文化求出路的人，说得更狭小一点，每一个认真要在现代世界里做人的中国人，多少会发生彷徨的一个课题；我们维持着东方的传统呢？或是接受一个相当陌生的西洋人生态度？东方和西方究竟在什么东西上分出了东和西？这两个世界真是和他们所处地球上的地位一般，刚刚相反的么？他们白天是我们的黑夜，他们的黑夜是我们的白天？他们的黑暗时代是我们唐宋的文采，他们的俯视宇内的雄姿是我们屈辱含辛的可怜相？历史会和地球一般有个轴心在旋转，东西的日夜，东西的盛衰是一个循环么？我们有没有一个共同的光明？这光明又是否全盘西，或是全盘东？这又会成什么东西？

也许正因为我心头老是用这些课题麻烦自己，所以十多年前所接到的一封信，至今还好像是很清楚明白的记得，虽则事实上早已和原信差落得很大，至少，庆堃也许会否认他曾这样说过这些话。

我记得在这次去美的旅途中，同行的几位先生中也大多注意这些问题；这些问题也常是我们闲谈甚至争论的题目。在北非的一个军站中，我们大家足足为此谈了一个黄昏。我在《旅美寄言》中曾记着当时的情形。我想不妨把这段记录抄在这里：

> 我们回到宿舍，刚想休息，那位好客的上校又打电话来说，晚上有电影，他会派车来接

我们。……主人既这样殷勤，我们怎能扫人家的兴致呢？于是答应了。到晚，我们全体出席。

这回电影的名字我已记不起来，可是真巧，好像是特地为我们选的。故事是这样：有五六个教授合作编一部百科全书，他们自以为无所不知，每个字都能引经据典，原原本本的加以注释。可是有一天有个汽车夫不知怎样冲进了这间书房里去，一口土白，博学多才的大教授一字不懂。于是其中有一位就决心要去搜集活的文字。结果碰着一个女流氓，她因为要躲避帮里老头子的什么事，逃到了教授的家里。这两套文化碰了头，混闹了一场。这本是个喜剧，可是却正讽刺着了我们这五个东方文人。

一回到房里，我们的夜话也就开始了。大家都忘记了要早些休息的话。

张先生摇着头说："晚上这套文化（指那电影的故事）我们怎能要得！白天的那一套（指我们白天在军站里所参观的一切）非把它

弄来不成。”

“这是一套呀！要白天的也就非要晚上的不成。”这是老金的哲学。

“可是这怎么成呢？简直是胡闹，我们看着就不顺眼。”“问题就在这里。你要他们的大工厂，就会有大都市，有了大都市，女人的腿就会驾在教授的头上。你怎么可以蔽长补短。这本是一个东西，一套。要就要，不要就关起门来。门关不住了还是要开，你怎样办？”

我们人虽少。意见却很多。白天文化和晚上文化，机械生产和都市罪恶，有人说不但应当分，而且可以分。有人说非但可以分，而且非分不可。夜话不会有结果，也只能使教授们兴奋得不能入睡而已。我怕的不是得不到结论，而是白天文化没有生根，晚上文化却已深入。至少，我想，要有西方这样的大工业，四五十年还不一定有希望，可是要把上海造成一个罪恶中心，一两个月就得了。

像北非军站里的夜话，我相信迟早会发生在中国每一个角落里。美国的军士已到了我们穷乡僻镇，我们要避免这问题已是不可能的了。

以我自己说，十多年来没有多大改变，还是庆堃在那封信上所描写的头脑。我还是在乡下往来，还带传统的性格和成见，对于上海的嚣尘、香港的夜市，生不出好感。苏州长大的人，生活的理想似乎走不出：绸长衫、缎子鞋和茶馆里的散懒。我曾在《鸡足朝山记》里有个一段自白。我借了长命鸡的故事，提到我读 Jack London《野性的呼声》时感想说：

> 这时，我正寄居于泰晤士河畔的下栖区，每当黄昏时节常常一个人在河边漫步。远远地，隔着沈沈暮霭，望见那车马如流的伦敦桥。苍老的棱角疲乏地射入异乡作客的心上，引起了我一阵阵的惶惑。都会的沉重压着每个慌乱紧张的市民，热闹中的寂寞，人群中的孤独。人好像被水冲断了根，浮萍似的飘着，一个是一个，中间缺了链。今天那样的挤得紧，明天在

> 天南地北，连名字也不肯低低的唤一声。没有了恩怨，还有什么道义，文化积成了累。看看自己在向无底的深渊中没头没脑死劲的下沉，怎能不心慌？我盼望着野性的呼声。
>
> 若是我敢于分析自己对于鸡足山所生的那种不满之感，不难找到在心底原是存着那一点对现代文化的畏惧，多少在想逃避。拖了这几年雪橇，自以为已尝过了工作的鞭子，苛刻的报酬；深夜里，双耳在转动，哪里有我的野性在呼唤？也许，我这样自己和自己很秘密的说，在深山名寺里，人间的烦恼会失去它的威力。淡朴到没有名利，自可不必在人前装点姿态，反正已不在台前，何须再顾观众的喝彩，不去文化，人性难绝，拈花微笑，岂不就在此谛？

这段话是我启程去美之前五个月时写下的。我借这段话来说明我去美之前的心境。这心境也许也不限于我一个人。想逃避现实，多少已成了多年抗战，退居在后方的人士相同的心理。在这个国家存亡的关头，不能执干戈卫社稷，眼对着一切的腐败和可耻，在无力来改变现实的人，最容易走上这消极的路。我在《鸡足朝山记》的后记中说："自从那次昆明的寓所遭了轰炸之后，生活在乡间。煮饭、打水，一切杂务重重的压上了肩头，又在这时候做了一个孩子的父亲。留恋在已被社会所遗弃的职业里，忍受着没有法子自解的苛刻的待遇中，虽则有时感觉着一些雪后青松的骄傲，但是当我听到孩子饥饿的哭声，当我看见妻子劳作过度的憔悴时，心里好像有着刺，拔不出来，要哭没有泪；想飞，两翅胶着肩膀；想跑，两肩上还有着重担。我沉默了，话似乎是多余的。光明在日子的背后。"

我自觉着这袭人而来对于文化的厌恶。这战争更使我寒心，文化把我带到了死亡。庆堃信上所描写的超越的力量，确是在玩弄我们人类的生命。我们这些蚁蝼，不是在一个无知的小孩子手上遭到了不经意的毁灭么？庆堃在十年前还能感觉到自己是属于这超越的力量；可是我，经了这七年里时代所遗弃的生活，怎能不发生了被动的无能之苦？竟在被自己造下的小孩所作弄？我不能不在《长命鸡》的那篇小文后面加了一句："既做了鸡，即使有慈悲送你的原野，也不会长命的罢？”因之潘光旦先生在那本小书的序中说：“孝通写到‘长命鸡’的最后的归宿时，更无异否定了一切的‘不惮烦’。”其实，正如潘先生所说的，我何尝是真的否定了一切的“不惮烦”？我在当前的矛盾里，正和大多数的中国人一般，在东西文化碰了面，我们那种“知足常乐”的处世之道已带来了毁灭的消息的警报中，有一种踟蹰的苦衷在烦恼我们。我相信很多的朋友们会和我一般，要求一个新的、彻底的翻身，要寻一个凭据使我们从此在现实里接受一个积极为人的态度。也就是庆堃初次在高楼上下视时所得到的一个人和文化融合的信念。这信念也就在童时情绪的复生：对创造，对动，对生的积极的爱好。也就是我们要能‘不惮烦’。潘先生说：“所谓‘不惮烦’也者，原是宇宙人生的一大事实，所由支持宇宙人生的一大力量。就是硬要否定它。也正复是‘不惮烦’的一个表示。”

美国所代表的现代生活岂不就是从这“不惮烦”三个字里产生出来的？Devonport 在 *My Country* 里不是说出这一个钥匙？“我们活在动里，动消磨了我们的生命！”

“不惮烦”最后也移动我这个爱好散懒的苏州人，跋涉万里的向地球的反面出发。我写了一封信给庆堃：

> 我来了。我要来看看人生的另一道路，十年前你所希望我的事在这个战云密布的时节实现了。我希望这十年后的今日不太迟，我还能看，还能想，必要时还能恢复童年时的情绪，即使我已经不能改变我三十多年来养成的性格，也愿意能用主我的性格来反映，对照出地球那一面所表现在人生的另一道路。

在这引诱中，我到了美国。

贰　贫困的早年

我们是坐了 Baltimore and Ohio 铁路的车从华盛顿到纽约的。这路的终点是在纽约对面的 New Jevsey。New Jevsey 是个工业区，烟囱像梳子一般的排列着，车子就在这些梳子里穿来穿去。不像坐 New York Central 的车，一近纽约就向地下一钻，黑洞洞的窗外什么都看不见。从 New Jevsey 到纽约要坐渡船，你站在船面上，四面望望：后面是烟雾笼罩下的巨大厂房，海中心是个美丽的自由女神，对岸是孟汉顿一片耸天高楼，像积木般的堆砌着，这幅景象也许是美国文化最简单的“文摘”。文化联络处为我们安排下这个行程，很可以说是想给我们这些东方客人一个文化的下马威。

这文化的下马威确曾使我瞠目结舌。后来我写信给安排这行程的朋友说：“你若是有意要在最短促的时间使我们对于美国有一个深切的印象，你是成功了。”过了有半年多，我又在另一封给她的信上说：“我在 New Jevsey 渡船上所获得对于美国的印象，曾费了半年才慢慢冲淡了，才慢慢对美国有了一些认识，让我再加一句多余的尾语，才慢慢使我喜欢美国。若是以后你还有机会介绍美国给我们东方人士时，我虽则不知道你应当先叫他在什么地方上岸，但是我愿意很坚决的向你建议，若必须从华盛顿到纽约的，坐 New York Central 车比坐 Baltimore and Ohio 车好一些。在地道里进入这大都市，可以使他糊涂一些，不致因孟汉顿的奇观，误认为美国之成为美国就在这并世无匹的大都会里。我不知道你是否同意我，美国不是在纽约这种大城市里罢？”

当然我绝不敢否认美国具有庆堃在十多年前已告诉我的那种庞大的、超越的创造力。正如我在到纽约时的渡船上和张其昀先生所说的话：“这地理才真是人文的了，你瞧，到处都没有一块自然的本来面目，哪一个角里找不到人工加上去的色彩？”可是这种摩天高楼其实只是这伟大创造力的表现，绝不能说是创造力的本身，更不是培养创造力的动力。即使我同意美国人的确是具有比其他民族更大创造力的话，我不愿意把这种性格作为和烟雾一般同是都市的产物。我更不敢苟同的是那些想得到这种性格的人，在梦想先造下几个都市来。上海和纽约相差不多，可是上海并没有造成有创造力的中国人。都市没有创造美国，是美国人的性格造出了都市。下半句话，其实还是不合的，应当是说美国人性格中的一部分表现在纽约那种都市里罢了。

若是我说夕阳晚霞里在 New Jevsey 望孟汉顿的夜景是人间的奇观，这奇字只是美的意思而已，能没有半点突然之意，因为每一个中国人到这地方去欣赏这夜景，心里早已有了准备，都市的伟状到这里来证实一下而已。在我们的观念中，美国是“千百的大上海、小上海”。是都市的集成，典型，标准。在没有亲临其地之前，在银幕上所见到的，在百货商店里所接触的，在收音机前所听到的，凡是可以加上花旗徽号的，哪一件哪一样不是代表都市生活的？在美国都市，绝不能引起“奇”的感觉，“自然”得很，好像是应该如此，非如此不成其为美国。使这些客人发生惊异的倒是有人说“美国的基本精神并不在这种都市文化”这句话。

其实，都市之成为美国所具引人注目的特色不过是最近二十五年的事。二十五年前住在二千五百人以下乡村里的美国人还占他们全部人口的一大半。愈往前推，乡村里的人数也愈多：一八七〇年，现在七十多岁老年人出世的时候，百分之七十四的人口是住在乡下。若单以种田务农的人说，那时也占全体职业人口的一半之上；和我们现在的中国相比，差别尚不能说太大。再推上八十年，美国独立方成之时，拥有一万以上人口的城市，在美国境内，根本只有四个，最大的是纽约，不过三万人，比现在的昆明还要小七倍。那时五个美国人中有四个是务农的。这还不过一百五十年前的事，“而北美在三百年前已经是一个欧洲人民所关心的新世界了”。

也许是因为美国的飞机在我们天空里太热闹了，我们似乎不容易保持正确的时间尺度。让我举几个年份把中西历史配一配：一四九二年哥伦布发现美洲，在中国正当明太祖定都金陵后一百二十四年，孝宗皇帝的弘治五年，天下无事。若要找一件比较大事来相配，只有十年前宪宗皇帝置西厂，辑奸宄的政治设施了。可是一过明代，事情也就多了。明朝的永历帝被杀后五年，牛顿发明了地心摄力（一六六六）。再隔一百零四年瓦特发明了蒸汽机（一七七〇）。清朝乾隆皇帝开《四库全书》馆后十年美国独立成功（一七八三）。过了二十五年，美国赫得逊河内第一艘汽船下了水（一八〇七）。七年后斯蒂芬生的火车试验成功（一八一四）。也刚是第一次欧洲大战开火前一百年。又十四年美国第一条铁路，就是我刚才提到，初次送我上纽约的 Baltemoe and Ohio 铁路筑成(一八二八)。不过那时，有时还得用马来拉车。我们的国运从那时起走上噩运了。过了十二年鸦片战争开始，而美国却正在庆祝电报成功（一八四〇），是第二次欧战开始前一百年，又二十年林肯当选总统，而我们却正遭英法联军的攻击，天津北平失守（一八六〇）。林肯被刺前一年洪秀全自杀（一八六四）。可是五年后，美国第一条横断新大陆的铁路却筑成了（一八六九），参加落成典礼的小孩可能到现在还有活着的。下一年煤油大王洛克斐勒创办他的美孚油公司，钢铁大王卡内歧的炼钢厂也在这年开始出货。太平天国失败后，西太后垂帘听政（一八七五）的翌年，美国的电话发明成功。美国工业开始大规模发展的二十五年中，我们却给日本打了一个败仗。马可尼发明无线电时（一八九七），美国的工商业已成年了，号称十亿金元的摩尔根钢铁公司准备出世（一九〇一）。这几年中，我们是闹变法，闹立宪，杀了不少人，最后法未变，宪未立，发生了义和团。这是四十五年前的事。

这过去的一百年事情是真多，因之使我们觉得时间过得特别长。可是我们配合了历史尺度来看一看，美国的工业是在上一世纪的最后二十五年中拔脚的，是他们的南北战争之后的事，也是我们的太平天国之后的事。关于“长毛”的故事，我们还是觉得很亲切，那么工业兴起在美国也不能算是有悠久的历史。何况，美国工业的成年须排到本世纪的初年，是和我们颐和园差不多新的东西。

美国的工业，和工业所造就的大都市，尽管有惊人的成就，以年龄说还是轻得很。现在活着的老年人和中年人，大多数还不致忘记早年熟习的乡村生活。立国的精神是蓄积在每个人民的经验里的，尤其是早年所熏染的习惯和态度里。“三岁到老”是句老话，也是被心理学所证实的原则。因之，若忘记了美国的历史，被暴发的都市文化挡住了视线，我们会误解美国的国民性。大企业、大工厂、大都市在美国确有它们的势力，它们表示了美国的力量，可是只是皮肤和肌肉，并不是骨骼。骨骼还是他们在早年工业尚没有发达之前，拓殖时代乡村生活中所养成的。那种粗放旷达的生活环境养成了独来独往、不亢不卑、自负自骄、耐苦耐劳的性格，这性格归结于他们崇尚平等、爱好自由的精神。美国的创造力并不是凭空获得的，而是从这种对生活的认真、对自由的爱好中长成的，更因为有些这种性格，这种精神，所以他们所发生出来的创造力并不像西欧日尔曼民族那样爆发成为人类的破坏和毁灭。我们要认识美国，不在他外表的耸天高楼，而是在他们早年的乡村里。

现在在中国一提起美国，真像是西天极乐世界，“上有天堂，下有美国”。从美国还来而没有发财，似乎是件奇事。自然，我也不能不承认美国一般人民的生活程度确是比我们，尤其是战时的我们中国人，相差太远（我并不是指在战争里发财的同胞而言）。一个刚从中国的大后方，几天之内被飞机送到像眉亚媚那种花园般的海滨胜地时，怎能不咽一口气，半天才说得出声：“美国真富！”我在《旅美寄言》的“一张漫画”中曾把我最初的印象记下：

> 我默默的在心上勾出了一张漫画：美国是真富！
>
> 这是一张漫画：一个巧小的花园，肥健的太太手上拿着一个药瓶。瓶上写着维他命ABC，半裸着在晒太阳，一个大肚子的男人弯着腰在种花，门前停着一辆待租的Taxi。我想将这张漫画标题为《美国的苦人家》。

美国人自己可以谦虚说这张漫画毫无根据，可是我却觉得美国人很可以骄傲的说："是呀，我们虽不算富，但是的确已经不像你们东方人一般常受饥饿的威胁了。"我们东方人在现在若是觉得美国的富是值得羡慕的，就该知道美国的富并不是天上掉下来的，而是从贫穷中自己打出来的天下。我们看得到的是吃得面孔红扑扑的老美，看不到的是他们曾在饥饿里挣扎的洋克。

前年感恩节，我在芝加哥休士先生家过节。当我用冰水硬硬的送下一块又老又生的火鸡肉时，主人却在讲给我听，为什么在感恩节家家要吃火鸡的掌故。据说是当新英伦的移民初到这大陆时，这新大陆有的不是温暖的自由，而是严酷的寒风。他们带来的种子，刚下土，就很快被几尺厚的白雪掩没。人在饥饿中度过北国的冬天，死得和狗一般的容易，幸亏这地方有野生的火鸡，给初来的移民充饥，他们才能维持下去，没有死完。后来土地有了收获，为了纪念这苦日子，所以定下这感恩节：一年一度，要吃一只火鸡。我虽则觉得为了要感激火鸡每年得一家杀一只似乎不太说得过去，但是我想到当年在饥荒时发现火鸡时的高兴，嘴里的味儿也增加了不少。美国并不是一个河里流着牛乳、树上结满葡萄的天堂，假定现在已近于天堂，那是从地狱里升上去的。

早年美洲移民的生活究竟是怎样的呢？这里我只有借别人的话来交代了。罗素在《自由和组织》里曾描写过这种人的生活。他说：

例如林肯的父亲当肯塔基不复是边陲区域以后，便决定在一八一六年移往伊利那。他为便利迁居起见，曾经编就一道木筏，将全部家私（一副垦荒器具和四百加仑威士忌酒）载上。后来木筏倾覆，但总算还捞得大部分家具。他从最末一间移民的住宅出发，筚路蓝缕，经过森林，在一片合意的地方把威士忌酒和垦荒器具安置下来。他的妻和两个孩子带着一床被褥、几个瓦罐、几只铁锅，亦接踵而至。他们所住的茅棚只有三面遮蔽，第四面敞着，他受风霜雨雪的吹淋，如是者一年。在这一年中间，他开辟了一个农场，并造了一座像样的木房，但依旧想不到木房内应该有几扇门、几扇窗，或一层地板。尼古来和海伊（美国历史学者）说："他的木房就跟别的垦荒者的一样，几张三脚凳，一张木床（床的一端附在屋角木柱之间，另一端由插在地上的弯树条支撑着）。一张大木板下装着四条腿的桌子；一只瓦罐、一只铁锅、一只长柄壶、几只铅碗和铝碗：全室家具，尽在于此。入晚，孩子亚伯拉罕从一张两条木柱间装着木钉的扶梯上面，爬到顶阁里，在树叶堆成的床上过夜。”当地的垦荒者好多死于热病，亚伯拉罕的母亲也因热病而死在这木房里面。

这段文字里描写的情形还只是一百二十五年前的事。也许有人觉得一百二十五年是太远，我们不妨推后一百年看看。我在哈佛大学遇见过一位外籍的教授，讲起第一次大战时代的美国。他说他那时曾带了孩子们大小一家到美国南部去旅行。有一次他车坏了，就停在一个小镇里，找了半天才找到了一家可以称作客店的小屋。他们想洗个澡，没有，全家在一间大房里过夜。他预先打听了一下，究竟要多少房钱，他得到的回答是一块钱。美国普通的规矩是以人作单位算账的，所以他一想花六七块钱住这种店子真是冤枉。第二天，他们大大地吃了一顿早餐，付账时，店主人一起只收了一块钱。这地方的生活程度可想而知了。

你若要知道一些真正的美国苦人家（当然不是像我上面所勾出的漫画），最方便的是到纽约百乐大道去。百乐大道，在四十二街附近，也许是全世界最繁荣的中心了。可是就在这纸迷金醉，歌舞升平的时报方场斜角有一家有名的戏院里在上演一出，每天每夜上演已有十多年的名剧叫《烟草路》。这出话剧是描写当时南部出烟草地方人民的穷苦情形。是一部写实的剧本。我自以为是曾经在最穷苦的地方住过的人，江前的乡村且不说，瑶山里的佃户应当是人间穷苦的记录了罢？但是一看了《烟草路》我才初次警觉一个人穷到一个程度，除了食和性之外，可以什么都没有。一个人成为禽兽时，身上既没有光彩的皮毛，脏、臭，比任何别的动物都难看、丑恶。这部话剧引得起我这个理解，内容已不言而喻了。

《烟草路》给我的感想很多，最重要的并不是在认识贫穷的罪恶，而是发现美国在富有时并没有忘记穷苦的日子。你想，为什么这一部看了会使人心里十分不舒服的剧本能在百乐大道上一直上演了十多年（我曾为天天要扮演同样一套的演员抱屈），获得戏剧界最高的纪录。论艺术，我不懂；可是以普通观众的立场说，既没有伟大场面，又没有惊奇布景，连美国人所喜欢的大腿都没有；可是每天有观众，差不多客满，有人看了一遍，过一时又去看一遍。我问过很多朋友，没有说没有看过的。一个小孩子到纽约，必然去参观自由女神，天下雨也不管；一个成年人到纽约，假定有时间去看戏的，《烟草路》是一定得消磨一晚的。这话剧号召力之大，显然不只是一出戏而已，不只是剧本高明，演员出众而已，而是在它具有迎合美国人民心理的能力。

什么心理呢？你自己不妨试试，你聚精会神的看了《烟草路》出来，重新走到时报方场，向北望一望这行人如水流的百乐大道，灯光如昼的不夜城中（一直到我快离开美国时，百乐大道的光禁才开），你自然会觉得一种骄傲，像拿破仑征服了欧洲，在凯旋门前，马上独步时那样的骄傲！人力定能胜天，这《烟草路》一变而成百乐大道了。干！创造！靠自己的努力。

你在这时会有一种勇气，似乎得到了保证，努力是有报酬的，努力里会消灭贫穷，努力里会出现快乐。工作，不断工作，前面有一个更好、更美的天堂。你在这时也会发生一种幻想：在不久的将来，这百乐大道也会被人看成《烟草路》。进步！进步！还是进步！

美国人的骄傲就在这里。不但他们愿意记得他们的祖先曾在饥饿里靠火鸡过日子，他们的父母曾在艰难的沙地上求生存，而且他愿意向你说，用节日来纪念，用名剧来广播，为的是要使每个人觉得努力是有收获的。假若杜鲁门不生在美国，不在美国竞选，他一定得把早年的历史遮掩得干净，然后造成一些莫须有的祖宗，抬高自己的身份了。在美国，他不必这样，愈是你父母是贫贱，愈是你早日生活艰难，愈是你祖宗里没有名人，你有能力，你有成就，才表示你一切是靠自己努力得来，这才是值得人崇拜，值得自己骄傲。

美国的一部历史其实就是一部不靠祖宗余荫，靠自己，不买账，拼命、刻苦、创造出来的记录。这种人是有胆量每年吃火鸡，每个人去看《烟草路》的。也是这种人才会在沙滩上造出个世界最大的都市，在年年泛滥成灾的美国“黄沙”（泰尼西河）流域里造成一个将要改变世界经济的 T · V · A。

他们的创造力哪里来的？我是这样想，不怕承认自己的贫穷，不接受贫穷，恨透贫穷，最后才能克服贫穷。美国原是苦人的世界，在这世界里苦人变成了富人了，至少和我们比是可说是富人了。

世界上穷苦的人不少，可是有些人并不恨穷，只怕别人看见他们穷。他们会掩饰，会装点，别人不说他们穷，他们也就安于穷苦了。这不是美国人。美国人不怕别人妒忌他们富，因为他们可以很坦白的说："你也能富的呀，谁叫你不求富呢？"他们不必掩饰，因为他们自觉他们的富有是靠自己劳苦里得来的，从正当的手段里向自然争取来的，并不是抢人家的，更不是从人家痛苦里剥削来的。

我们在东方看他们，千万得记住，他们人民生活程度的提高是他们努力劳苦的报酬，不是天，也不是人，送给他们的礼物。

叁　自由之邦的传统

在 New Jersey 的渡船上，我已说过，除了背后的一片厂房和烟囱和面前孟汉顿的耸天高楼外，同样会使你感觉到深刻印象的是兀立在海面上的自由女神。我也已经说过，每一个美国的孩子到纽约，他们的父母决不会忘记带他到这自由女神的岛上来瞻仰一番。这巨像是法国给美国的赠品，因为在美国革命时，有很多法国热心的人士，不辞劳苦，不避危难，来帮助美国这件历史上的伟业。为了纪念这个自由人民共同的决心、亲密的合作，所以在法国铸成了这个巨大的铜像，送到美国，立于纽约港入口的门前。这个巨像中间是空的，人可以一直在圆梯上，攀登到女神帽子的边缘，据说以前还可以一直走入女神的手掌，在自由的火把下，俯视人间。

从自由女神的火把下，展开了这一个被人视作世界上的“自由之邦”。其实Liberty这个字译作自由不如译作解放为妥。解放是指一种过程，在这过程中一个人抛弃了原有的缚束，享受着没有这些缚束时的自由。这次世界大战被称为War of Liberation，解放战争，因为纳粹的暴力把种种抹煞人权的桎梏缚束住了被他征服的人的生活上，同盟国的战争目的就在取消这暴力的桎梏，使人得到解放。美国在十九世纪在欧洲人的眼中是一个可以得到解放的去处。在保守的人看来，美国在当时，很有一点像现在的苏俄，是一个叛徒的罪薮，可是在那些在旧秩序里受到缚束的人，则把美国看成了天堂。因之，肯冒着大西洋凶恶的风浪到这新世界去的，多少都是些不肯安分守己的，说得不好一些，无赖。

说起来原是历史上的一个巧事。北美之成为今日世界的强国并非是出于计划的。二百年前，也许一百年前，说这大话的，还会被人笑话。最初，哥仑布并没有要发现美洲；他登了陆，相当失望，因为他所要到达的是我们的中国，是衣服上都穿着珠玉，满地都是丝和茶的天堂。他一见这荒凉的大陆，认定不会是中国，所以以为是印度。到现在美洲土人还称作Indians，我们为了要分别于印度人所以译作印第安人，其实在英文里印度人和印第安人是分不出来的。

发现北美的哥仑布是失望了，可是北美给人失望的却不只是哥仑布。最早招募了民伕去殖民北美的英国阔佬们也对北美失望了。殖民北美的动机是想发洋财。当时，美洲比较发达的区域是墨西哥湾流域。这地方的居民，据历史和考古的材料看来，很有一点像我们中国。有很发达的手工业，肥沃的农田上养出了一大批悠闲无事的富户，文弱得见了血都要发抖。西班牙人一到墨西哥，就放弃了一切人道观念，赤裸裸的摆出海盗的面目，劫掠烧杀，把整个墨西哥的文化摧毁了，只得到了这地方人民历代所积下的金银珠宝。在欧洲那面的人，没有闻到血腥，只看见一船船的珠宝，怎能不眼红？于是英国的阔佬们总想到北美去依法炮制一下。可是不幸的，北美的土人不像墨西哥的人民，他们非但不富，而且是特别好斗，绝不屈服的勇士。这怎能不使发动殖民的老板们失望呢？人已经去了，若要接回来，又得费他们的钱，殖民公司只能将错就错的留着这批人去在“新世界”里受罪了。

当时的北美使那些有钱有势的欧洲上等人摇头。十六、十七世纪是农业时代，在农业国之间实在是没有什么东西可以成为贸易对象的。当时，所谓海外贸易实在只是贵重品的抢来抢去。西班牙是最早在海外称雄的国家，可是几百年的海外贸易并没有造成一个工业的西班牙。在这时代，北美在经济上怎能引诱人？

我说北美在经济上不能引诱人是指欧洲的上等人而说的。至于欧洲的穷人，这却不然。北美有的是土地，虽则荒凉，虽则有土人的恐怖，但是土地却有的是。若是欧洲的农民有土地足够他们耕作，他们未必肯冒这险，可巧是英国发生了一种圈地运动，把很多本来可以在旧制度中生活的农民弄得颠沛流离，无地可耕。我们要知道为什么北美的人口逐渐增加，不能不知道当时欧洲，尤其是英国，农民的痛苦。

在十八世纪的上半期里面，英国还实行一种叫条地制度。一个农民向地主租得若干条地后，便可以在公共荒地上畜牧采樵，豢养几只家禽，一两头牛，一两头猪，假如克勤克俭的做人家，还可以衣食无缺。换一句话说，英国的农民一部分的收入是靠公共荒地上得来的。到了十八世纪的下半期，国会操纵在地主们手中，通过了一项法案，把公共的荒地圈了起来给地主们养羊。这样一来，农民就丧失了一项主要的收入。生活的压迫，使他们不能不在别的地方去找土地了。北美对他们才具有引诱的力量。

我历述这段史实，因为想借此指出美国早期的移民是哪一种人。北美当时不但是个苦地方，而且是专门吸收苦人的苦地方。没有钱的苦人，出不起路费，可以把自己出卖几年，叫“立约奴隶”，到了期满才恢复自由人的资格。全体殖民中可能有一半是这样到美洲的。这短期卖身的制度中又出现了人贩子，他们把这些“立约奴隶”运到美洲，新闻纸上登着广告招徕，甚至系成一串一串的带到各城各乡去叫卖。

这些在老家走投无路的苦人，又经了多年奴隶的生活，终于在新世界里获得了自由和土地。他们在荒原开垦，利用着极粗陋的工具，在人口稀少、森林遍地的地域里过着孤独的生活，在出产极薄的农地上谋生。同时，他们又遇着枭悍残忍的土人。我想再抄一节罗素在《自由与组织》中描述当时拓荒者的生活：

林肯总统的祖父“早先在哲斐孙郡向政府买得一方土地，定居着，并在林中开辟一个小小农场。一七八四年某天早晨，他率领摩得开、约西亚，及托马斯三子来到农场边，开始一日的工作。林中飞来一粒子弹，将父亲打死；长子摩得开随即赶往家里，约西亚亦奔向附近的堡垒乞援，最小的托马斯只六岁，留在父亲的尸体旁边。摩得开走进茅屋，抢下来福枪，从枪眼里瞥见一个武装的印第安人正在俯下身躯，想抓起地上的孩子。他悉心瞄准那野人的白胸饰，一枪把他打倒。孩子这才得救，逃往茅屋里来，此时野人们相率冲出林子，摩得开便重新放枪，直到约西亚从堡垒里回来助战，野人们才都逃散。”

艰苦的环境中，他们体悉到了自由的可贵，和领会了它的代价。他们从欧洲中古的封建制度中解放出来，他们没有主人可以依靠，没有传统的耕地可以取给了。生活得靠自己，土地得自己开垦，生命得自己保护。在这种环境最可以依持的只有自己的体力和机警。他们必须在最低的生活程度中谋取自足的经济活动。这样发生了广大的自持自足、不与人苟同的自由农民。

这种早年殖民时代所养成的性格，到现在还是到处可以碰得到。我在《旅美寄言》的《如此农场》中曾记着所拜访的一位杜萝丝的农民：

那位主人对我们很热诚，可是他始终不随意恭维我们。说起了中国，他们就不很说话。后来他摇着头说："我不知道，我没有到过中国，我也没有和中国人接触过。有很多东西，好的或是坏的，我不能相信，我没有意见。"这是美国拓荒精神的余绪。他们生活在事实里，成功失败就靠自己的判断。经济告诉他们最可靠的判断是根据看得见、摸得到的事实。很多人觉得美国人是最耳朵软、血热的，有时会胡干，这是好莱坞电影上的美国，不是真正的美国。真正的美国人是像我们那位主人一般的人。也许正因为太注意了事实，所以广告才如此发达（倘若全是耳朵软的，广告也就不用讲技术，不必花这样多的钱了）。也正因为如此，在千钧一发的危机中，还是有孤立派的存在。

后来，我同去的朋友，下厨房弄了两碟他拿手的红烧鸡和红烧白菜出来。

> 那位主人吃着了这味儿，脸上露着满意的笑容，一块又一块，最后大声的说了："中国东西真好，从此我知道了。"这坚决的声调是典型的。他尝着了，他有经验，他不怕下断语了。他决定了他的态度，也就负责了，不容易改了。

这种信任自己经验，向自己判断负责的精神是民主的基本要义，和封建精神刚相反。在封建社会里个人守住他在社会里一定的地位，他"非礼勿视，非礼勿听"的结果，对于自己经验不加信任，信任的是传统的标准。"非礼勿言，非礼勿动"的结果，对自己的判断和行为放弃自主，一切依着传统标准去思想，去活动。可是在传统不能保证个人生活的安全时，传统必然会失去它的威信。非但如此，传统会使这些在荒原里的人遭遇打击和危险。于是他们不能不发现"自己"，信托"经验"，重视“判断”了。民主不是从理论里产生的，而是从生活需要里发芽、长成的。美国的环境解放了欧洲封建的传统。我们与其说爱好自由的人到美洲来，不如说，到了美洲的人才充分认识自由的可贵。在殖民时代的美洲，封建的势力并不是不想支配这新世界，可是封建势力无法在新世界里立足，因为在新世界里生活的人，因生活的需要，不能接受这桎梏。

美国的民主基本上就是这种拓殖时代养成的精神。这原是一种解放运动，积极方面是在人类认取独立的个人人格。这独立的个人是最适宜于拓殖时代。可是这种自给自足以至自持自卫的人民并不感觉到和别人合作的需要。这种人有时会流于孤僻和忧郁。他们厌恶人事的复杂。为了工作效率和行动方便，在农业经营中，生活的单位时常是很小的家庭。不喜别人干涉的结果，对于政治尤其是权力，不但不爱好，而且憎视。

在美国孩子中流行着一种游戏叫“作弄警察”。有一个孩子装做警察，其他的人就千方百计的取笑他，给他当上，尽恶作剧的能事。而那个警察却是装成个呆子，有一点像我们的呆女婿。我也听得过种种中伤警察的话，说他们的脚是平底的，是流氓不务正业的讨厌家伙。这些民间的游戏和笑话，反映出他们对于权力和干涉的厌恶。据说，这种普遍的情绪的确曾成为警察的大问题。在美国的路上根本就很少看见穿着制服的警察，摇摇摆摆在人面前走动。好人不愿当这丑角。因之，有一次政府里特地请了很多有地位的人加入警察局，想改变人民的成见。事实上，还是不成。

这件小事上很可以看得出美国人的特性来。在英国，谁也不会忽视了警察的雄姿。穿得最整齐，身材也总是比普通人高，更带了威武凛凛的高盔。我曾说，英国的美男子不在别地方，就在街头。三三两两的在大街上踱着方步走动。有时还骑了高大的马，像装饰品一般参加各种游行。在德国，警察则更是威风，你要搬家，要走动，先得通知警察局。我在英国和德国出门身上总是带着护照。出门时得摸一摸：护照、钱袋。可是一到美国，护照竟是多余的。你若不出国，大可把它锁在箱子里。警察局在什么地方都没有问过，有没有都没有关系。他们决不来麻烦你。只有一次我接触到警察：那是我和庆堃一同开了车去买东西，把车停在一条小街里，过了时限，回来在车上发现一张小纸，要这车的主人在下一天到警察局去。可是，除了这张条子外，我并没有遇见警察。

厌恶权力和干涉实是美国的传统精神。在大的地方就表现在他们“层层钳制”的政府组织。制定宪法的人简直把政府里的人都看成是坏东西。总统决不能让他自由使用政权，国会的钳制不够，还要给法官以否认总统命令或国会法律的最高权力。他们的政治哲学是“最好的政府是最不管事的政府”。

若是早年没有土人的捣乱，我怀疑美国人会不会接受一个比乡镇更大的政府。《独立宣言》的起草者哲斐孙就是一个反对权力的人。他在《独立宣言》里开头就说：“全人类生来都平等，他们都有天赋不可夺的权利，这些权利包括生命、自由，与幸福的追求；人类为要保障这些权利，所以才组织政府，政府的适当力量，须由受治者的同意中产生出来；假如任何种政体有害于这些目标，人民即有改革或废除任何种政体之权；这些真理，我们认为是不证自明的。”这几句话中充分说明了权力是消极的，是防止个人权利的被侵犯。若是权力本身侵犯了个人的权利（不但生命和自由，而且个人认为追求幸福的正当行为），人民就可以推翻这权力。在这种政治哲学之下，不要说做总统，即是做警察自然成了一件不易讨人好的职务了。

在美国政治史上，这种厌恶权力、讨厌干涉的成见，总是一度再度的引起重大的波浪。美国并没有停止在拓殖时代的农业经济上，工业的兴起，生活的复杂，事实上不能不逐步走上集权，和干涉的路上。但是这传统的成见，一直到现在还是根深蒂固成为政府头痛的阻力。我们在下文中还有机会提到，这里却不详述。

我们要了解美国，我们千万不要忘记美国一直要到上一次大战时，拓殖的机会才告结束。而拓殖运动所养成的精神，离开结束还远。

肆　年轻文化的前途

华盛顿的天气是冬寒夏热，挑这个地方作美国京城的人，心里必然是讨厌和害怕政治的，正是个传统的美国人，好让气候来减低政客们的耐心和活动。在昆明住久的人，到华盛顿去总是件头痛的事。假若没有慰梅太太的客厅，只为了我容易在蒸热天气里伤风气喘的恶疾上，已够是我拒绝到华盛顿去的理由了。

慰梅太太的客厅是很简单的一间白壁淡蓝色的小房间。一个装饰用的壁炉，和一架竹编的屏风；壁上有一幅中国的神轴（不知哪家破落的子孙竟会把祖宗的遗像都卖出洋去），表示这客厅的主人与中国有一点关系。在一个刚从中国来的客人，对这奇异的装饰品，反而会感到异乡的风味。让我补一句，慰梅太太并不是中国人，虽则她常喜欢用这中国名字。

这幅用来作装饰客厅的神轴（绘着一个清代朝服的官员，和我幼时过年时挂在中堂的那些像，容貌却差不多），曾引起过我在一次小小的晚谈中的半天的议论。记得那天我刚从一家名叫“开西诺”的中国饭馆里和恩勃里先生吃了饭回来。恩勃里先生是一位人类学家，他到过日本，写过一本《须惠村》的调查报告，因为这本书的内容和作风和我的《江村经济》很相似，又在同时出版，所以常被人认为是姊妹之作。我到了华盛顿自该去拜访这位“姊”或是“妹”了。我见了他就说：“这几天，我真是苦了，一朝到晚，拜访那些白头发的老先生们，谈论些冠冕堂皇的文化合作等大题目。可是，你知道，我是初次到美国，我总得先去认识认识美国才再谈得到文化合作之类的正经事。今天你得带我去认认美国。”

不久我们两人就在开西诺吃饭了。到中国餐馆去认识美国似乎怪不合的，可是，他既然这样提议，我自得尊重他。下面是我在《旅美寄言》中所记关于这顿夜饭的情形：

说是中国菜馆罢，除了那些过分和惹眼的

装饰外，并不能使我感觉到一丝家乡味儿。以菜单上的名字来说，Chop Suey，Chow Mein，半似翻译，半似洋文，实际是非洋非华的特殊菜肴。Chop Suey是肉丝和各种菜蔬混成的炒品，有时是用虾肉，或是牛肉来炒，其实是极平常的，但不知为何一定要用这个不中不西的雅号，反正我是不喜欢这菜的，吃了一次之后没有再试过。Chow Mein是炒面的音译，本无足奇，然而怪的是有生的炒面可买，把面条在油里炸了一下，烤干了把炒面卖给外国人。有几家馆子炒面的味道还不差，好像苏州小吃馆子里的两面黄。

桌面上全体西化，刀叉俱全。可是因为我是刚来的同胞，所以特地给我们预备了几副毛竹筷，上面还印着Made in China。使我不舒服的是一杯冰水。美国冰水，除了芝加哥的水带有漂白粉的味道外，确有它的妙处，可是和油腻的中菜一同喝下去，实在是犯忌。我真奇怪外国人的胃肠怎受得起冻了的油腻的侵犯。

也许外国人说中菜不易消化的原因就在这上边。可是无论如何，没有冰水他们是吃不下饭的。

离开桌面一看：在当中正有一队穿着半裸衣裙的舞女在跳西班牙舞。我在伦敦时曾经去看过一次西班牙舞，看客里还有穿着礼服的，至少大家是观舞而来的，正襟危坐，跳完一节，拍一次手。这里可不然，一面吃着炒面，一面在和女朋友谈笑，一面斜着眼就可以看这许多大腿在摆动。伴着西班牙舞的音乐却是美国时髦的爵士。我是不懂音乐的，可是更不明白为什么这种种作爵士的响声也被称为音乐。一忽儿舞罢，在同样的"音乐"下，却又来了一位说是从中美古巴来的女郎，引吭高唱了一曲她的乡歌。在台上手脚不停，用着扬声筒报告节目的人，一望又可知是南欧的产物。……

就在这一刹间，这一角，多少不同来源的文化横奔齐集，斐然杂陈，似乎全忘了这是中国欧仆，东土刺绣、西班牙舞蹈、古巴歌声、

爵士音乐、南欧面目。形形色色，林林总总，
全合在一起，难分难解。一片欢笑，一尝畅饮，
一种新的文化！

我回到慰梅太太的客厅里，面对着那家祖宗的遗像，脑子一直在反复的想刚才和恩勃里先生所说的结语：“真胆敢，年轻的文化！”

这一句话也就引起了慰梅太太客厅里半天的议论。

我虽则不赞同斯班格勒的文化周期论：文化和生物机体一般由幼而老、由老而衰、由衰而死的定命过程。可是我却常认为文化有两种不同的类型，一种是扩张，一种是生了壳，停止了生长的。我所谓“年轻的文化”就是指第一种。美国是一个最好的例子。我刚才所提到慰梅太太客厅壁上中国的神轴，以及开西诺饭馆中的形形色色，正是年轻文化的面目。

在以上两章中我强调美国在历史上所占的尺度正是想烘托出年轻两字的骨子。若是北美在早年有着像墨西哥一般的珠宝，吸引了些像西班牙人一般的海盗，北美到现在可能还是一个劫后的残尸；若是北美的印第安人

文化水准高一些，挡得住和海潮般送来的欧洲移民，以及后来各色人种的移民，哥伦布所用来称这大陆的名字也许不会太错，该是一个美洲的印度。可巧北美不是中美，也不是印度。这广大的陆地上，在哥伦布到达的时候，人口稀少，加上了这些土人的顽固，不屈服，不同化，以致从文化上说，这是一个真空。向这真空驰入的，不是有组织的文化单位，而是一辈对于传统制度已失去好感的亡命者。北美的移民不像我们南洋的移民。南洋的华侨们始终是以作客心情在新地方寄居。他们在寄居的客地，辟出一方，依着原有的生活形态造下一个小中国。北美早年的移民并不存衣锦还乡的愿望。他们要在新世界求得新生活，而当时的环境，如我在上章所说的，也迫使他们确立一个和传统不同的生活方式。所以美洲的文化基础并不是原原本本从欧洲移植来的。

说得远一点，北美这个文化的真空，给欧洲中古封建中所解放出来的两股新势力以实验和实现的机会。这两股新势力就是“自然的发现”和“人的发现”。换两个名词来说是“科学”和“民主”。中古的封建使欧洲农业得到安定的发展，可是一千年后，人已不能再禁闭在这土地的圈子里了。农民在简单的工具中，用手脚来耕植的技术中，需要的是安定。这安定的生活囿闭了他们的眼界，忘记了人性潜在的可能发展。这个保障着生活（虽则生活资料这样稀少，生活程度这样低）的硬壳终于被科学和民主的要求所冲破了。可是蜕变是件痛苦和艰难的过程。在封锁制度中握有特殊权利的人们，怎会愿意痛快的抛弃这保护他们特权的硬壳，虽则在新的制度里他们假若努力的话，同样可以获得更好的生活。可是人是短见的。在欧洲，新文化的生长得经过一个破坏和骚动。可巧的，也许是上帝有意留下的，有北美这一个文化真空，可以让这两股新的势力得到灵验和实现的机会。

十八世纪的欧洲，尽管经过了文艺复兴和宗教改革，可是还是一个烟气弥漫的土房，最大的墙壁是自然资源的吝啬。每一个人感觉到除了接受传统的地位外，若是想自辟新路，新路前面并没有可靠的机会。冒险者尽管可以置生死于度外，可是他至少要有一个可以引诱他的目标。在一个被技术封锁了的经济中，冒险是不会有结果的。在这种生了硬壳的文化中，除了安心在壳里求存，有什么别的生路呢？于是，聪明的人“克己复礼”，把生活托付给传统。他们只能在控制自己的欲望的方法下求一个平静恬适的生活了。“知足常乐”必然会成这种人的立身要诀。

北美这个词是和机会同义的。在早年，在农业阶段上，北美有的是荒地。在一个古旧的农业国家，一个农夫一生只能在一定的土地上求生活。他没有希望扩充他的田园，更没有希望换一块田地耕耕，他得尽力的保持地力，因为土地的贫瘠就是他的冻馁。在北美，他可以不愁这些。只要他有体力，他可以开垦新地。而且，他若是厌旧一块地，另外可以再去开垦新的。这就是农夫们的“机会”。在这种充满着机会的环境里，知足是没有意义的，若要给他一个定义，必然是“不出息”而已。

“自然的发现”在这世界中才能兑现。在这里知识才是力量，才是财富，才是生活。新世纪的曙光就在和知足相反的不厌的求得。在英文里有这个字：Acquisitiveness.Tawneg 教授称现代社会是 Acquisitive Society，用以和知足社会相对照。不厌求得必须求而有得，换一句话，必须有机会，有充分的机会才能发生这不厌的精神。北美是现代新社会发生的理想环境。

一个社会，或是文化，有时可以用生物机体来譬喻的。一个孩子在生长过程中，每个细胞都在扩大和繁殖时，他的心理是和一个已经长成的人不同的。孩子们胆敢，他有尝试的精神，他可以不过虑后果，而且只有在尝试中，他得到他机体和知识的粮食。一个健全的小孩很少挑剔食品的，这是出于他机体的需要，他需要各种养分。孩子们被新鲜所吸引，他固然会因弄火而烧痛手指，但是他生活经验的需要使他不怕奇异。一个年轻的文化也是这样。

当我每次在谈话中用美国文化这个名词时，坐客中常有一种不太同意的微笑。“美国也可以称为一种文化么？”他们会这样问我。这问题我自然不敢回答，可是他们发生这问题的意思正是在说美国是否已有一定型的文化形态。我们不能用脾气或性格来加在孩子们身上，因为他们的性格，也就是心理学家所谓人格，还是在形成中，在变化中。他们只有一种劲道，一种倾向，一种力量。美国的文化也是如此。有时我们会在孩子们的语言中发现，在成人们听来，怪刺耳，怪不顺的字眼儿。

在学说话时，孩子们并不经心这刺耳和不顺。这不就是我在慰梅太太壁上和开西诺饭馆里所得到的印象么？所不同的：一个新的文化不一定要长成一个已有的文化定型，而孩子的说话却很得接受成人的标准而已。

用机体来譬喻文化容易引起误解的就是在每个机体的形态是由遗传所决定的，生长过程不过是完成这定型而已；文化则不然，它是个永远累积、永远变化的东西。我们固然在某种程度之内，为了方便起见，用年轻成年老等名词来形容文化，可是一个年轻文化究竟会生长什么形态出来，却不能用一个已有的定型来预测的。

慰梅太太客厅里的谈话，也可以说是辩论，就从这一点上发生。金老先生和我毕竟是东方客人，总觉得外界的机会总有一个尽头的日子，像美国现在所表现的劲道和心理，只是在扩张过程中的暂时现象，一旦机会告罄，美国文化成年了，有了个定型，每个在新秩序里的人，碰到了无可再新的时候，自然也会平心起来，甚至和我们老大帝国的人一般，讲起“知足常乐”的口号来了。我还举出了在哈佛大学和小 Whitehead 教授讨论的结论来助证。据他说，英国在近年来大多数的人已经表现了在他们的地位上寻求恬适和满足的心理。他们不再像美国人一般，每个人觉得可能做大总统，可能做福特，做洛克斐勒了。大英帝国的扩展时代已经过去，成了年，有的是心平气和、老眼看世的神气了，我举出这种观察来助证我的文化成年论。金老先生也相当同意我的说法。我们中国在春秋时代，不是也有个一些年轻的气色的么？可是在农业成年之后，我们就生了个硬壳，一有硬壳就表现出那股老气横秋的神气来了。我们承认工业时代已超过了农业时代，在过去一百年中，也许正因为有这新大陆作尾板，工业文化还在生长，还属年轻。可是成年时代已经近了。我们很得意的说："美国享受了一世纪的拓殖之福，可是在这世纪的开始，不是已经在西部碰着了大海洋了？那里还有荒凉的边区作你们扩展精神的发挥的呢？"

我继续说：美国的情形我知道得很少，可是假若我所说的可能是事实，根据这事实来推论，美国不是已在遭遇着一种窒息，那就是早年拓殖时代所积累的习惯，所养成的扩展心理，在机会业已缩紧的环境中，不是很容易发生一种不安的情绪，反映在社会的纷扰里？当然，假定你们内在的边区业已消失，不想在南美，或其他地域，再辟边区，你们大概还得向东方学习安分、知足的人生态度了罢？

我在这里不能不加一段我所担心的事。那就是我在某杂志上所读到的那篇论文所引起的。这位作者是一个某大公司的推销员，在这篇十分坦白的文章中，他提出了这次大战的意义是在再辟边区。美国在这次战争中已经长成了世界上第一位的强国，海军和空军暂时是不会遇到一个可以抵抗的敌国。这力量，在他看来应当和美国传统的拓荒精神相配合，来给美国一个第二期的膨胀。

我说我不能不为这种论词担心，一个年轻的文化，配上了无比的强力，毕竟不是件太可以放心的事。何况，若是拓殖的心理没有修改，它再度的扩张，是否是世界的幸福呢？我想向这位作者说的就是现在世界上已经没有三百年前的北美了，没有文化的真空区了。若是按着十八、十九世纪的老方法去扩展的话，说不定会遇着很大的阻力，把人类在封建制度所解放出来的力量消磨在无谓的争斗之中。

在这客厅里有一位现在耶鲁大学教书的Turuer先生，他微微的露着笑容，可是笑容并不掩饰他的深思和严肃。我不能不附注在这里，这次游美时间虽短，和他接触的机会虽少，可是每次和他交谈之后，总是使我的见解和看法，得到根本的修改。这天晚上，他照例用着他十分美国化的英文，很洪亮的开口了："是的，我同意你一部分的分析，我想你所描写的文化类型的确可以说明过去社会的性质，可是——"他这样开始。

他在"可是"底下接着指出了文化发展到一个程度，机会是不会消失的。若是我们脑子里所谓机会只限于平面的土地而说，那么，机会的限制的确总是会到的，地球的面积是一个无法扩大的限极。可是农业时代是过去了，生产的动力不再限于太阳和泥土的结合，我们的工厂不再只限于在叶绿素的小细胞里了。工业展开了的前途可以说是无限的。美国的问题是在怎样从地面上的扩展，变为动力的扩展；量的扩充变成质的扩充。

在农业的逻辑里，你有土地，我就没有分；人在资源面前是互相排斥的，可是工业的逻辑是相成的，电气事业的发达增加了造电炉、电灯、电气冰箱的需要，电气冰箱使偏僻地区可以多植水果。工业的繁荣是整个的，是建筑在全人类生活需要的增加上，在生活程度水准提高的推动上。

文化是没有国界的，我们没有理由独占某种发明、某种能增进人类幸福的设施，我们也没有理由因为某种发明不是出于本国人而歧视这种发明。在这种意义下，文化的扩张是不必害怕的，所要担心的倒是文化的独占。

美国有着特殊的机会使科学能得到很快的发展，这是事实；这次大战之后，我们的问题应当是怎样使科学所给予人类的力量，实现在建设里，实现在人类生活程度的提高上，怎样使科学成为全人类公共的东西。使古旧的世界重新获得前进的勇气。美国也许不致停留在这阶段上，退而在心理上求调适。美国人拓殖的心理换了个方向，会领导这世界进入另一个新的世界。使每一个人，不论在亚洲或非洲，都产生北美早年解放时代的气魄。

“这样的扩展，你们不觉得可以反对了的么？”他在诚恳的微笑中结束了他的意见。

“可是，”我也用同样的开始，继续这场辩论，“科学并不一定带来了幸福。”

“这是另一个问题，”他又说了，“科学给我们力量，给我们机会，给我们不必回到传统知足心理的时代，不过，人是否已经用这力量、这机会、这时代去实现科学所允许我们的幸福，那是另一回事。我们尽可承认现在人类还没有好好用这力量，甚至用错了这力量，可是大可不必怀疑这力量，排斥这力量。我们得有勇敢去征服这困难。没有人满意于现有人类的成就，正是这不满意在推动我们，要我们努力。我们得创造一个能使科学造福人类的方法。以往若没有这现存的方法，我们自然不该回头。历史是不能倒退的。”

在这点上，我是同意的，可是古旧文化的传统还在我的血里。我需要在美国多住几年。我希望这位先生的话是正确的。

伍　幸福单车的脱节

“科学并不一定带来了幸福。”这也是美国历史上的一个事实。

我说，美国并没有全盘移植欧洲的文化，可是它却带来了两股从封建制度里解放出来的新势力，一是科学，一是民主。这两股势力，依我们看来，应当兑现在平民生活的幸福里。可是这个单车的两轮，走到半路却发生了龃龉。

龃龉是这样发生的。美国拓殖时代所育养出来的民主是消极的，是反抗封建的。我在上文中已交代过，美国传统的民主是出现在对权力和对干涉的反感。人类生活和幸福以个人为中心和个人有他不可侵犯的基本权利，政府不过是用来保障这些权利的工具。这是种对社会消极的看法。可是科学的发达产生了很多复杂的机器，生产活动中个人变成了一个配件，成果依赖着集体活动的配合。消失的个人主义在这集体生产中无法保持，可是为了生产的效率和技术的进步，人们没法拒绝这新时代的集体生活，个人和社会在这里好像是处于对立的地位了，也因之形成了美国文化中的一个裂痕。

为了方便起见，我们不妨把早年美国的民主分成两派不同的解释，一是偏重平等，一是偏重自由。在大部分的人民中，尤其是在开垦新土地，在经营农业的独立小农中，对于民主的看法是包含在平等两字中。最好的典章就是上述的《独立宣言》。可是另一方面，科学发达所引起的工业革命在新大陆造成了不少都市。都市居民要求经济的自由发展，在他们，民主就是这种经济自由。都市在殖民时代的早年是无从发展的。都市的兴起必须靠乡村在粮食和人口上加以维持。在农地出产贫乏，劳力没有过剩时，粮食和人口都不会向都市跑，所以北美在早年并没有大都市的出现，这一点我在上文中业已提到。可是十八世纪的末年，欧洲工业影响到了北美，新兴的工业向农业要求原料，因之，农产物在商品化中得到了较高的价值。北美的烟草、棉花、羊毛等大量的流到英国去，把早年殖民地上那种自给自足的农业打破了。都市也随着逐渐发展成贸易的中心。十九世纪初叶，工厂制度在北美出现，美国的经济基础开始发生重要的转变。靠海岸的地方和西部的边区在经济上分化成两个地带。边区的人民在传统的拓殖精神中一直在向西发展，而在海滨的都市中则集居了不少靠金融、靠工业起家的财主。当美国要求独立的时代，这些都市里的财主们已经近水楼台的握住了政权。代表平民要求的势力发动了独立运动，结晶在《独立宣言》的典章中，可是独立成功，政权却落在财主们手上，制定宪法的时候，民主的解释，由平等观念一变而成自由观念。美国的宪法，依 Beard 说，实在是一部经济文件，用来保护特殊资产阶级利益的法典。起草《独立宣言》的哲斐孙根本没有参加制宪会议。这时平民组织“爱国党”的领袖 Patrick Henry 拒绝代表 Virginia 省去出席制宪会议，因为他说“我闻着有老鼠”，意思是这会议的味儿不对劲。

这时的新兴的资产阶级需要发展工业的自由。这里所谓自由并不是罗斯福所标榜的四大自由，而是十九世纪的“经济自由主义”。经济自由主义和美国拓殖时代所养成的民主在早期是并不十分有太大的区别。可是发展起来却分道扬镳了。经济自由主义是什么呢？我们不妨在这里作一个简单的摘要：

（一）理想的社会秩序是发生于各个人依其特具的才能，追求其一己的利益中的活动。一己利益中最主要的是物资的争取，自由竞争可以使各人充分表现其能力。竞争所得的利益——私人财富的累积——是胜利者的报酬。他有充分的权利可以自由支配他所获得的报酬。社会只有在给人以这种报酬时才能使每个人竭尽他的才能从事于社会活动，维持这公平的秩序。

（二）竞争失败的人是社会的低劣分子，应该加以淘汰，所以社会上财富分配的不平正是选优汰劣的机构，足以奖励人民努力上进。

（三）政府的责任就在保障个人能自由施展其才能和别人竞争，所以政府对于经济活动不应干预的。政府的干预不但可以使竞争者丧失自由的发展，而且阻碍社会选择其优良分子，也就是阻碍社会的进步。

（四）私有财产是社会进步的保障，因为这是社会给予个人努力的报酬，是优秀分子的标志，所以政府必须予以保护。个人对于他所有财产有支配的自由，贸易是财产所有者之间的自由契约。劳工的被雇也是贸易的一种，雇主决定给予雇工的报酬是雇主的权利。契约的自由政府应当绝对尊重，而且应当阻止雇工对于契约自由的阻碍。

个人主义的传统民主在表面上是符合于这种经济自由主义的。可是在自由竞争之中，若不含有平等的事实，财力雄厚的资产阶级所享受的自由却消灭了平民向他们竞争的可能。人类经济活动在平等观念中看去应当是每个人生活的提高。正如《独立宣言》中所说的每个人都有相等的追求幸福的权利。经济自由主义的基本假定即是达尔文的生存竞争，优胜劣败的原则，为了一个抽象的进步观念，剥夺了许多竞争中失败者的幸福和生存；非但如此，若是竞争者参加竞争的时候没有平等的机会，所谓胜败并不根据于个人的可能，而是决定于发脚的前后。譬如赛跑，起点不同，终点则一，在距离较远开步的人，即使比别人跑得快，加倍的飞跑也赶不上已等在终点，一步即到的蹩子。这里显然是违反了常识所保证的公平。

而且在平等观念中，最主要的是对人的尊视，没有人应当比别人低卑，而经济自由斗争主义不但事实上造下了富者愈富、高高在上、享受社会的机会和尊荣，而且观念上承认了这些富有者是优越的人才，他们的享受是合理和必需的。

因之，美国早年民主中所包含的平等和自由的两种解释，在基本上是冲突的了。

美国的宪法里的民主精神是采取经济自由主义的解释。最早的政府是握在联邦政府派的手中，其中最能干和最彻底保护资产阶级利益的是哈密尔敦。哈密尔敦和哲斐孙是华盛顿的左右两手，而这两人已代表了对于民主的两种不同的解释。哈密尔敦最得意的杰作是《债券兑现政策》。当独立战争期间，联邦政府和各州政府都举行借款，印钞票来支付国家的费用。当时的士兵和公务员都用这种纸币给薪。换一句话，就是我们现在熟知的通货膨胀。据说那时买面包都得用车子载纸币。那些平民今天拿着薪水就得去换生活必需品，纸币价值跌落，生活程度也随着跌落。哈密尔敦上了台，决定要以票面价格把那些债券赎回。说来自然是堂皇冠冕的，维持联邦政府信用当然得从债券做起，可是事实上这些债券已经在极低的价值下集中到了富裕者的手里。政府若用票面价值赎回就等于给这些握有债券者几十倍的利益。而且，当这个决定在国会通过之时，政府方面关防不严，这消息早已泄漏出去，于是快船快马载着许多投机家，向各乡出发，用贱价收买退伍士兵的债券。这时实价只合票面价的百分之五到百分之二十，哈密尔敦这个政策在顷刻之间赠送了富裕者和投机者四千万元的礼物。这笔账还是得纳税人来担负。（可是，哈密尔敦自己或是他的太太却十分没有沾着光！）他第二件得意之作是设立联邦银行。他的办法是用私人资本来获得国家银行的特殊权利。那时，联邦银行的资本是一千万元，可是政府只供给二百万元。哈密尔敦不但在债券政策中把纳税人的财力白白的送了一笔资金给富裕者，而且更用联邦银行的机构去保障这些人的既得利益。更有意思的是联邦银行有一笔公积金，它的用处是用来收买银行自己的股票以防止股票价值的跌落，有损投资者的利益。他更主张利用女工和童工来生产以减低成本。他说：妇女与儿童因工厂而变得有用，儿童的有用期因工厂而提早了。这种彻底的财阀政治在民主的外衣下统治了美国开国的最早的十二年。一直到哲斐孙做了总统，创立了所谓弗基尼阿朝，平民的势力才一度抬头。可是财阀政治的基础已定，在宪法的保护之下，已经逐步可以顺利发展了。

美国的自然和社会的环境实在是经济自由主义最容易发展之地。美国毕竟是一个新大陆，一个人民来源复杂的殖民地。新大陆上有着未经开发的丰富资源，科学一发达，工业一兴起，真是个得天独厚的区域：殖民地上住着没有传统束缚的人民，相互之间语言都可以不通，自然说不上情义两字，自由竞争在欧洲多少还受着传统身份、社会道德的拘束，自由得不彻底，各种社会主义很早就发生：可是在美国那真可以无拘无束。翻开美国历史一看，早年工商业间的所谓“竞争”真是无异于“械斗”，所采取的手段从雇用流氓动武起，一直到欺骗敲诈，无奇不有。在铁路建筑时代，这种竞争表现得十分露骨。官商勾结，卖空买空，投机取巧，名目真是写不尽。铁道大王凡得俾尔特以一艘二桅小帆船起家，一生积到一亿元的家产。他的手段比海盗还毒辣。有名的伊利铁路竞争中，朋友之间反复出卖，使人觉得这些人（尽管达尔文学派愿意抬举他们作优秀的超人），除了金元之外不承认人间还有其他任何价值的存在。在这里我们不能不想到煤油大王父亲的高见了。他教导儿子的原则是："一有机会我便哄诈我的孩子，我要他们变得伶俐，我和孩子做买卖，总要哄诈他们，总是乘机剥削他们，我要他们变得伶俐。"这样教育出来的人才是"自由竞争"中理想的人才。

我们不能不承认在一千八百年时代，工业勃发的初期，美国工商业竞争是相当自由的。不必去追究在这种竞争中胜利者的人格是否合于我们的理想，可是有一点是事实，每个人赤手空拳都有出人头地的机会。既要看看已经加上大王冠冕的人的出身就可证明这话了。我已提到铁道大王凡得俾尔特出身是一艘帆船的主人。煤油大王洛克斐勒是一位游方的外科医生的儿子。这个走江湖的父亲行动怪僻，出外时家里囊空如洗，他的妻子不能不亲自操作，可是一回来却又囊囊充盈。洛克斐勒在幼年时的经验是：贫穷屡迁无定，母亲的悒郁，父亲的无赖和邻里的仇视。钢铁大王卡内歧是苏格兰手机织工的儿子，因为机器的竞争，失业而移居到美国来的移民。汽车大王福特是个机器匠出身。只有金融大王摩尔根是英国有声望的世家子弟。我们若看看这些成功人物的传记，总不免会发生项羽“彼可取而代之”的雄心。舜亦人耳，大家有此机会。在这些人自己看来也确是任劳任怨，克苦克勤，含辛茹苦，一步一步爬上来的。有为者亦若是！他们享受到自由竞争的滋味，也证实了自由竞争是富有选择作用的过程，可是问题是等他们一做大王之后，在他们的一行中，另外一个人，即使凭个人能力比他们还高的话，再也无法问鼎中原了。他们是自由竞争的结果，可也是自由竞争的结束，权倾王侯的托拉斯独裁着经济的一个部门，谁敢不低头。

在林肯时代，托拉斯这个名字还没有人知道，家里的用具是熟悉的工匠的作品，鞋是向隔店鞋店里定做的，肉是某家屠户买出来的。可是在四十年内，天下已经大变，吃的、穿的、住的、用的，一件一件都会牵连到某种大王。肉是从芝加哥有名的屠宰场里送出来的，糖是由太古糖公司包办的，连火柴都由金刚钻火柴公司制造的。

究竟美国工商业已集中到什么程度，一个普通的小企业家还能享受多少竞争的自由，我不能简单的作答。据说在上前一次不景气时的调查，美国全国千分之一的公司，握有全国公司资产百分之五十二，纯收益百分之五十。百分之五的公司有百分之八十七的资产。百分之四的公司占纯益百分之八十四。假定这调查是可靠的，集中的趋势已经十分可观了。

事实上，集中的实质是不容易在几个数字中看出来的。美国有反托拉斯的立法，所以实际已经被托拉斯所操纵的企业，表面上尽管可以保持着独立经管的名义。而且很多小的独立企业常常有一部分的工作受着大公司的支配。我熟悉一个华侨的洗衣房，一看之下，小得只是一个人经营的企业。可是这位老板自己却并不洗衣，把所有衣服都送到一个极大的洗衣厂里去洗干净了才拿回来自己熨一道。这个洗衣厂究竟有多大，和其他洗衣厂是否同属一个经理管理，我没有问，可是我们若说这华侨是个充分的独立小企业家也就不合事实了，因为他的企业和利益暂时可以受到那大洗衣厂的控制。

在战前这位洗衣房的老板在他的企业中能享受多少

自由呢？并不是没有：没有政府来统制他；他要加价，成；他要拒绝哪个顾客，成。可是他所倚靠的大洗衣厂却也有加价的自由，也有拒绝他送衣去的自由。大洗衣厂规定了一个价钱，他有自由可以接受或不接受，可是没有能力向他讨价还价，他若不接受这价钱，若是那个大洗衣厂是独占的，他就找不到另外一家价钱便宜的洗衣厂了。他自己动手洗，成本高；他对顾客加价，顾客就走到别家洗衣房去了。他可以自由选择的只是继续不继续这小小企业而已。

科学发达，技术日新月异；新技术扩大了生产的规模，大规模生产能利用新技术，出品好，成本低；可是大规模生产需要资本大。于是大鱼吃小鱼，吃得愈自由，小鱼被吃得愈快。经济自由的结果是能享受这自由的人数愈来愈少。

当然谷春帆先生在他的《旅美观感》里说得很对的："生产事业的独占切不可误为一切经济活动被少数人包办了去。"独占不是包办。可是独占却发生了一种经济权力，在他权力之内，别人却没有和他竞争的可能。自然，独占的大王并没有禁止别人和他竞争，可是竞争而必然失败的话，谁愿意去讨这没趣呢？经济活动还是由很多人去办理的，可是这些人得听命于大王，像我上述的洗衣房老板一般，听命得还要说一声是自愿的。谷春帆先生说千分之九百九十九人，在独占经济中，尽可有选择并改变他们职业的自由，那是事实，可是这不是经济自由主义所标榜的竞争的自由。经济自由主义其实是指不受政治权力干涉而言，可是，可以限制竞争自由的不单是政治权力，最重要的是经济权力。独占经济是在政治权力不干涉，甚至保护之下，所发生的经济权力。在经济权力所统治下的社会，每个人是否还有《独立宣言》中所规定的平等和自由的基本权利也就成了个严重的问题了。在我看来，科学和民主，或是平等和自由之间，在这个时代，确是已发生了龃龉。我并不承认科学和民主冲破封建的两大势力，不能成为两个轮子，构成一个完成平等和自由的幸福单车。可是独占的兴起，经济帝国的独裁下，科学和民主似乎是成了矛盾的对立了。这幸福的单车至少已暂时在美国的历史上脱了节。

陆　机器和疲乏

“北美和机会同义”，原不过是一种想法，一种信念，一种引诱，在这具有这强烈希望的信念中，年复一年，大批的人，从世界各地移入这新大陆。可是尽管现在在小学里读书的孩子们依旧觉得将来会做到总统，做到大王，事实上，北美这新天地所给予每一个人的机会并不完全相同的。当然，我们得承认，除了从非洲绑来、骗来、拐来的黑奴之外，到北美来的大多数移民，他们不但在生活上享受着相当人权的基本保障，而且在早期，大家享有着相同的艰苦的遭遇。假若在十八世纪初叶，工业并没有在北美发展起来，过海来的移民只能在荒原的开垦中去寻求机会，美国人民很可能实现更平等更自由的生活。哲斐孙所想象，所企图创造的自由之邦确是一个独立小农、个别经营的集团。他到过伦敦和巴黎，当时这些名城还是和地狱相离不远。人在机器的威力下被磨难，被奴隶（即是在这次大战之前，东伦敦的贫民窟还是使人会错认是杨树浦）。他曾说："当我们有田地可以劳作时，让我们不要希望看见我们的人民坐在厂房的板凳上或去转动纺线竿。"他当了总统，不顾他原来反对中央权力的成见，坚持着购买 Louisiana 州，因为他相信，有了这块新的土地，特别适宜于农业的土地，几千代的美国人可以不必走上工业的路来束缚自己了。可是哲斐孙的乐观并没有实现，Lousiana 土地尽管肥沃，仍敌不住科学在技术中所允许人的财富，机器发明，都市兴起，这个个人自由主义的美国被推到了西方，被掩盖在厚厚的一层工厂烟囱里所放送出来的煤灰里。这煤灰也许有时会使人感觉到一些窒息，可是比起了封建的黑暗，以及欧洲工业初期平民的饥饿却已是一种引人的曙光了。没有这新兴的都市，北美也绝不能吸收这样多的移民。一八二〇年到南北战争（工业在北美确立的时期），一共有五百万的移民从爱尔兰、英国和德国到达北美。从一八七〇年到一九二〇年（工业勃兴时期），外来移民有两千万。在这两千万新移民中，主要的来源是南欧和西欧、意大利、奥地利、匈牙利、俄国和波兰。

这许多移民不断的从各地方涌入美国，使美国的人口成了一个大杂拌。一八七〇年时的比例，一千个美国人中，四三五个是在美出生，而且父母也是生在美国的；二九二个在美出生而父母却是移民，一二七个黑人，一个印第安土人和一个中国人。

这些新来的移民大都是吃不了欧洲社会的穷苦和束缚，到这世界来追求机会的，有一次我被一个朋友带到了一位某作者组合的编辑家里。他是纽约新闻界中相当有地位的人物。我们谈到了他早年的生活，他告诉我们说：他是生长在中欧的一个小国。幼年，他还明明白白记得清楚，全家靠他两个长成的哥哥出外做工来维持生活。一清早他的哥哥离开家，从乡下很远的走到城市里，找工作。若是找到了工作，晚上，天暗了，带几个面包回家。这是一家的食粮。逢到天雨、严冬，愈是会使人感觉到饥饿的日子，他哥哥们找不到工作做的机会也愈多。他顿了一顿："我对于幼年的记忆大概只有饿和冷。"后来他们搬到了北美。这新大陆没有使他们失望。他说："我们对于故乡没有留恋，没有怀念，饿和冷不会使你有亲密的情绪的罢？在美国，我才有今天。若是我的哥哥们不下决心过海洋，我也许已不在人间了。”

我没有统计来证明有多少美国的移民是像这位朋友一般的。可是我相信的，他决不是例外。

美国在别的地方也没有什么成绩，可是饥饿两字在这里已是偶然的了，即使还没有完全消灭。

在纽约港口，自由女神的脚下刻着这一首诗：

> 你们这些疲乏、穷困的人，
> 你们这些拥挤的人群渴望真自由的气息，
> 你们这些被家园排挤出来的可怜的人，
> 你们这些被暴风雨颠簸的，来我怀里罢：
> 我举起我的灯，在这金门的旁边。

我怕读者在上一章里得到一个错误的印象，以为工业代表了奴隶，农业代表了自由（多少和哲斐孙一般的见解）。工业的独占是限制了经济自由主义所规定的自由竞争，可是他并没有剥夺人民的职业和生活，也并没有直接剥夺了《独立宣言》中所举出的人权。在我们中国，尤其是在战时，听见了统制就会联想到政府包办，或是检查充公某一类的事情，这不是美国的“独占”。美国的独占是经济生活最高权力的形成，这权力并不在法外作恶，普通人在日常生活中感受不到这权力的威风。既然你不想开火柴厂，你绝不会和金刚钻火柴公司冲突；你不想去开油矿也领教不到洛克斐勒手段的毒辣。这是企业家们勾心斗角的战场和小民并不直接相干的。一个人若只想找一个职业，求一个太太平平、安安逸逸的生活，他所关心的是职业的安定。工业愈发达，甚至可以说，愈独占，他的生活也愈安定。在这一层里，职员和劳工可以享受到富裕的生活，以及择业的自由。我想谷春帆先生的观察是正确的，他说：“普通人本来只有少数资本，本来只希望得一相当职业，在其意识中（我觉得“事实上”代“意识中”三字较妥），本来没有侵夺煤油大王、钢铁大王地盘的梦想（梦想不说说可能），因此独占大王与他们似在两个世界中，对于他们的自由，可谓没有社会关系（也许可以在社会关系前加直接两字）。也就不发生作用。”我固然不同意谷先生后来所说经济统制和个人自由不能相容的意见，可是我却认为自由有层次这一点是正确的。在独占企业之下，每一个人的生活并不是全部被“统制”，一切活动都被“大王”们所干涉。因之，一个从封建，从贫困中逃出来的人，到了美国，即使进入都市的工厂里去做工，并不完全像哲斐孙所想象的那样变成了机器的奴隶。职业的保障和饥饿的消逝是足够满足那些疲乏、贫困，曾在厄运里颠沛流离的人民，使他们感觉到一进金门，在女神的火把下闻着了自由的气息。

可是，我尽管承认工业曾消灭了饥饿，曾提高了人民的生活程度，我也尽管可以不做和大王们竞争的噩梦，（什么不是噩梦，竞争的结果若必然是破产！）我还是不能立刻推崇在美国（以及西欧各国）所发生“机械时代”的生活方式。我若有一个选择的机会，上纽约工厂去做工，还是在昆明教书，即使前者报酬大，生活有保障，我还是不干的。为什么？我的理由得从头说起。

我在前面说民主和科学两个轮子发生了龃龉，我的意思并不是这两者在本质上有矛盾，而是这两个轮子的速率上有迟速。科学跑得快，民主没有赶上。上一章，我是从民主所包括自由和平等两个概念的关系上分析，曾说因为大企业独占的发生，自由竞争的结果限制了自由和阻碍了平等。现在我想在另一角度中去讨论同一现象。这里我将从劳工的立场来说明这幸福单车怎样在个人生活上引起脱节。

科学的发明推进了技术：第一是新动力的利用，第二是把每个劳工的动作化繁为简，第三是加强了各劳工间动作的组合。以往，不论在农业或工业里，体力是生产活动的主要动力。身体是生产的惟一的基本机器。手脚之间、手指之间、耳目手之间，成为一个有机的配合。两只手，创造了人类的文化。在两百年前，我们整部人类的历史是靠生物进化里人体构造上的特质而发展的。但用体力，用手脚来工作，不但所能供给的动力在量上有限，而且当生产活动依赖有机配合时，个人终究是活动的单位。当然，人类很早就有分工合作，可是我们仔细想一想，单从工作本身来说，少数人配合在一起已经不很便利。最好的例子是一句俗语：“一个和尚挑水吃，两个和尚抬水吃，三个和尚水都没得吃。”要把许多单位的体力集合起来做一件事，到一个程度是不可能的。

科学在体力之外给了我们许多利用其他动力的技术。液体膨胀力、电力等利用的结果，动力在量上已经可以无限的增大。

机械学的发展，使我们在生产过程中，不必全靠有机配合了。一个滑车，一个活塞，都可以在一定有规律的动作下加以配合。这样，我们才可以把一个复杂的动作化成许多小动作，每一个小动作本身看是单纯而简明。然后再在一定的机械原理中把许多小动作集合起来成为”整套的动作，来完成一件生产活动。这种技术的发明，大大地增加了人类的生产力，可是从生产活动本身说，有机配合，靠人的神经系统的配合，一变而为机械配合，靠力学原理的配合了。这样把人在生产过程中的地位完全改变了。以往人总是主，人可以被奴于人，可是在对物而言，总是主动者。现在，技术变革后，主要的配合离开了人，人成了整个配合中的一部分，甚至是从属部分了。机器自然是人造的，人去运用的，那不错；可是在生产活动过程本身，参加活动的劳工却是在简单的从属动作中去服侍机器。各个人的动作因为机器的总配合中也得到了配合。配合的中枢不是人而是机器。

“人可以变成机器的一部分”——这是一个大发现。人这个东西是相当麻烦的，他身体的每一部分都关联着。头痛时手也会抖；加上了脾气、兴致，在动作的组合中，常常不易加以纪律的控制。现在把每个人的动作靠了机器的复杂性加以简单化了。一个在车床上切铁的工人，只要在一定的时间在某一个把手上按一按，他就了事了。一天只要做同一的单纯的动作，只要肌肉不发生毛病，这动作总是可以继续的。从生产活动的本身说，很多个人的简单活动配合了起来，成就自然比每个人多种复杂活动各自配合容易而且效率高了。我说这是一个伟大的发现因为现代文化之有今日就靠了这一个发现。这是科学给予人类的恩典。

这里我要提出的问题并不是人做了机器的配件有损人的尊严，或是说个人参加了外在的配合系统使我们丧失了自由；更从而说民主的基本精神是在获取个人的尊严和自由，所以机械时代是不合于民主的。那是曲解之论。我想指出的是每一个人的动作还有一种配合，那是个人各种动作的相关性。我总觉得人有一个所以为人的特点，那就是在我们每一动作背后都有一个意义的存在。人不是单单动作，而是做事。做事固然离不了动作，可是做事是有目的的，每一个动作只对这目的发生价值。要吃饭才烧饭，才举筷。没有事做，时间会成为累赘，我们会觉得无聊，坐眠不安，睡都睡不着。人可以做很多事，每一件事之间又不能是孤独的，想不想做一件事，有没有劲，要看这件事和别件事有没有关系，事事之间还要有一个综合的意义。一个人人格健全与否就在他能不能在生活中得到一个综合的意义。我并不敢说每个人都有这一个综合的意义维持着他所做各件事的关系，使他对于每件事有兴趣，做起来有劲。尤其是在这时代，我不敢这样说。可是我想说的是若是一个人没有了这个综合的意义托得住他所做的各种事，他会对人生失去认真和爱好。罗素在《快乐的征服》中用 Zest 这个字来指由综合意义中所表现心理上的情态。

我知道要用文字来表达这种人性的深处是相当困难的，可是我相信读者们至少都有一个母亲的。我们或者还可以看见或记得一个母亲在为孩子做事时的那股劲道。夜里会起来几道，自己喜欢吃的东西会留起来，操作到不知道劳苦（现代女性也许会觉得这是一种愚蠢），可是维持着这许多动作和事务背后显然有一股力量，这力量出自孩子。孩子给了母亲生活的一个综合的意义。

一个人决不能为生产而生产，为看戏而看戏的，换一句话说，一个人不能把他的各种活动分割成许多不相关的部分，在部分中求满足。生活是整个的，动作是关联的。这就是我所说的一个人生活中各项活动的配合体系。在机械时代，至少在它的早期，在我们的生活中发生了两个配合体系：一个是由机械生产所组合各个人动作的配合体系，一个是个人各项活动的配合体系。在家庭经济时代，这两种体系是相成的，因为生产体系也是以个人作中心的：每个人在从事于生产时，他不但了解各项动作为什么要联结起来，而且明白这一套生产活动对于其他生活有什么关系。在这种情形中，个人和社会并不是对立的，而是相成的。机械生产既把生产体系的配合中心交给了机械，人的动作简单化了之后，每一个人在机器上动作着，可是并不容易（并不是不可能），了解这动作和其他人的动作的关联（这里的关联不是指物理上的关联而是意义上的关联），更重要的，他们在生产中所处被动的地位使他们不容易找到生产活动和其他生活部分的相关性。看不出一个生产活动的道理来。

有人或许会说，怎么看不出道理来呢？做工的拿工资，有了钱可以养家活口。我觉得一个劳工参加生产过程的意义似乎应当多于劳力的出售。他是在参与一个为社会创造生活的过程。若把劳工的动作看成一种商品，那是否认劳力的社会意义。劳工对于所生产的效果对于社会有什么贡献，在劳力商品化的情形下，是不必，也无由置喙和顾问。所以我们并不能说劳动者的“人”参与了生产过程，而只是他的劳力加入了生产活动而已。这成了一个破坏个人活动配合体系的力量，因为它把个人的生活在意义上分割了。

从单纯的经济观点上看，若是人真的能变成一个机器，在动作和效率上能受到严格的控制，参加机械配合体系时自然方便得多。我们只要看十九世纪以来的经济学理论，它就反映出这“经济人”的要求。“经济人”不但是一个理论上的假定，而且是配合机械生产时的一个待实现的标准。经济学因之也在相当程度中，或是在一部分经济学家的理想中，这成了不是研究“人”的科学了，它的对象是一个超出于人的配合体系。在我看来这是必然会发生的，因为在技术上，生产活动配合的中心已转移到了机械，整个经济的配合似乎也就超过了人，人不过是配件；理想的配件应该是机械化的，机械化的人就是单纯的“经济人”，剔除利害之外一切人性的东西。

无疑的，现代社会是在向这方面努力。若是能贯彻，社会生产力，在这些人想来，必然可以大大的合理化，大大的增加。可是问题就发生在人这个麻烦的东西不能单纯的经济化，不能彻底的机械化。劳力不能安于成为商品。人还是会要求一个个人生活配合体系。

我在哈佛商学院里住过两个月，日常和他们作工业研究的学者们交谈。他们自从上一次大战到现在继续不断的在研究现代工业里的效率问题。据他们研究的结果，认为一个工人在现代的工业制度中工作，他们的效率很不容易提高，因为一旦参加同一生产体系中的人若缺乏了一种自动的合作意识，他一旦不能在他个别的动作里发觉生活的意义时，他会很容易的感觉到疲乏。疲乏本身是一种生理状态，可是在人，这种生理状态的发生却受他社会意识所支配。一个人起劲的时候，不容易疲乏。怎样能使人起劲呢？那就得要看一个对于工作的态度了。若是一个人老是觉得所做的事和自己没有什么干系，心里存着为人忙作嫁衣裳的反感，他是鼓不起劲道来的。工作的效率要像做母亲的为孩子工作时那样高，必须使工作者对于工作的意识有充分的了解而且有感情上的休戚相系。哈佛工业研究指出了现代工业里缺乏效率的原因是在劳工的动作和他人格的综合脱了节。换一句话说，那些想在把个人动作机械化以求提高生产效率的人，终于会发现人性无法完全加以单纯化，硬要这样做时，生产效率也会达到一个限度，无法再加以提高了。

人本是一个麻烦的东西，他自己创造出了一个庞大的互相依赖的体系，各个人的生活靠着无数其他人工作的配合来维持，可是在每个人实现这依赖性时，却并没有在意识上感觉到这集体参与性，反而有一个倾向要每个人在生活中割裂一部分出来，归纳在这集合体系中，让其他部分在这集体体系之外个别经营。结果使每个劳工失去了对他的工作应具的意义，对于工作本身没有了劲道。

我不愿意做着自己不觉得有意义的工作，因为只有在有意义的工作中，我才愿意消耗我的生命。譬如我可以在深夜里，在旅途上，不觉得疲乏的写这本书，因为我在写这本书的过程中，我心目中很明白这工作有什么意义，而且这意义就在这书的本身，而不是在从这工作所得到的报酬中间接得来生活上的满足。

运动一样可以使我们觉得累，可是这些动作却并不发生工作之后的疲乏。这区别并不在动作本身的性质，而是在我们人对于这些动作所加上去的意义。现代工业在目前这种形态中是一套使参加者很容易发生疲乏的工作，不是一套使人发生愉快的生活。这是我个人不愿选择到纽约工厂里去做工的理由。

我在这里记起了 Turner 先生所说的话：民主是积极的，目的是在完成个人在社会里的参与。所谓个人在社会里的参与就是充分的承认每个人间的相依性和互相的责任；把个人动作的配合体系贯通于集体活动的配合体系之中。这样讲来，科学所发展出来人和人的相互性也就是扩大民主内容的力量。可是当我们把生产活动分割在其他生活部分之外，单就这一部分的活动去组合一个已近于全球性的分工合作体系，同时又在别的部分上鼓励着个人化的时代，科学的发展、技术的日新月异，会使民主的积极性落在后面，造下目前这种不十分适合于人性发展的社会情态出来。我们若在这方面去看美国，不能不感觉到哲斐孙的焦虑是有道理的。当然，历史不会退回去，尤其是在美国是如此，我们不能盼望科学慢一点发展，等等另一个轮子，迁就一下传统的消极民主；出路似乎只有在速率较慢的一方面加快，怎样使消极的民主能早日蜕变为积极的民主。美国的确是在这方向努力，虽则离开完成的时候还远。

柒　劳资的鸿沟

美国是个民主国家。若是有一个人敢在美国人民面前说是要破坏他们的民主，那必然会激起每一个人的强烈反抗。可是民主两个字所指的内容究竟是什么，美国人里并没有完全相同的见解。我在上面已经指出传统的见解是消极的，是指限制政治权力对个人权利的干涉。这是反抗中世纪封建制度的过程中所发生的见解。这种消极的民主自有它在历史上的贡献，现代经济能得到惊人的发展不能不说是自由竞争的结果；此外，更重要的，是确立了人民控制政府的政治。我在后面还要提到，美国在经济上即使发生了与民主精神有严重脱节的时候，只要美国人民坚守着政治民主的信念和制度，经济上的设施最后总不能离开人民幸福的标准太远。

我在上章指出，民主的积极性已经逐渐深入美国人民的意识。积极的民主是注重个人的社会性，个人幸福的兑现不但是生活所赖的物资的丰富，而且是要在精神上觉得个人活动的社会意义。在战争中，每个士兵能守纪律，能够服从，不是因为他怕禁闭，怕刑罚；而是要出于自发、自动的心理。自发自动的心理只发生于个人觉得这样做是达到自己所具目的最有效的方法。在战争中士气的决定是在士兵是否衷心的接受战争的目的。凡是不能接受战争的目的的人最好是不要加入军队里，因为他会影响士气的。在两次世界大战中，英美征兵法中都规定凡是良心上觉得不能参战者得请求免役。我就知道有一位念人类学的朋友。因为这个理由，到现在还没有穿军服。军队是如此，其他社会活动亦是如此。所不同的是战争的活动所具目的比较明显，而其他社会活动不然；战争中士气决定胜负的力量也比较容易见到，而其他社会活动不然。譬如说：在战争中每个小单位的长官不能以个别的胜利而满足，可是在社会的经济活动中，每一个小工厂的老板很可以不必关心其他工厂的成败。在经济活动中，大多数的人还没有意识到这是和战争一般的有一个参加活动者所共同目的的存在。共同的目的，虽则存在，若是参加者不意识到，而要他们守纪律，尽责任，只能从消极的强迫和刑罚中下手了。

我们回头看看十九世纪的经济学家，他们为了要从封建的硬壳中解放出个人的能力来发挥科学所允许给人类的富裕生活，所以一贯的主张让个人尽量依最大利得的冲动中去谋发展，可是像亚丹·斯密士那种深思远虑的学者也不能不考虑到个人最大利得是否就是社会经济活动的目的。人是为了聚积财富而去经营生产的么？在这个问题上，他只能信托上帝了；冥冥之中自有一个主宰来配合每个人个别目的的大计划，至于这个大计划是什么呢？他也明白，应当是最大多数的最大幸福。他所不明白而要求助于上帝的是个别目的怎样配合于大计划完成这大目的的过程。在当时，这问题并不严重，所以还可以不必深究。

可是，个别目的配合于社会目的的过程一旦不加深究，参加经济活动的人也就把社会目的搁置不同了。有利得可获者还可以靠人类的本性，或社会的奖励来发现自己所做的事有什么意义，那些出卖劳力的工人就不容易维持他们的士气了。要他们做工只有让生活的需要来压迫他们，用失业来威胁他们。当然一个人迫于饥饿不能不接受工作，可是这决不是经济活动的社会目的。这种人就是参加了经济活动也不能在高度的士气里发挥经济的能力。

积极民主是在使个人积极的参与社会活动，要实现这积极的参与必须要参与者觉察到他们个别活动的社会意义。在经济活动中能学的必须要觉得他一己的工作是可以提高最大多数最大幸福的，美国过去的工业史中并没有做到这境界。

美国工业是在消极民主的精神中发生出来的。这种精神庇护了大企业的长成，而大企业的目的是在为投资者创造利得。这些利得固然也是社会的财富，它提高了美国人民的生活程度，可是因为大部分的利得是交给投资者，所以没有资本的人并不能充分的和均等的享受到由工业中创造出的幸福。这种分配方式，对于社会有没有好处，那是另一个问题，可是至少可以使一般在工业中从事工作的劳工们感觉到这些工业并不是属于自己的，他们不过是不得不做工的被雇者罢了。这种心理划下了劳资的鸿沟。

有一次我和几位二十多岁的在工厂里做事的小姑娘们一同去游泳。在沙滩上，她们很得意的告诉我，她们已在厂里组织了一个工会，有一位是当《会报》的编辑，为了下一期的社论在发愁。我就问她们这工会的目的是什么呢？她们的回答可以归纳到三点：一是维持工资的标准，工厂方面不能随意升降；二是保障职业，工厂方面不能随意开除工人；三是工人们合作谋生活福利的提高。这里我们可以看见劳资的鸿沟了。关于生产的计划，制造什么东西，怎样才能销出去，销出去对于民生有什么关系，有多少利益，生产者方面可以得到多少报酬……这一类的问题，劳方是似乎不关心的。他们在现行制度之下是没有资格过问的。厂方既然把他们的劳力看成了商品，他们所念念不忘的也是商品的价格怎样，市场怎样。工资能提高，职业有保证，他们的问题也解决了。

在厂方看来，劳工自然成了个讨厌的生产因子了。若是这个因子规定了价格，又规定不能随意开革，他们就不易在这因子上来调适经营的需要了。譬如一种货物因为某种原因社会上的需要减少了。他们得少出一些货，价格得定得低一些；可是他们在劳工上的成本不能缩小的话，他们也就不容张罗了。在一个企业家看来，劳力最好是和其他生产要素一般能支配自如，涨缩随意。但是劳工是人，人会组织起来，用集体的力量要挟、交涉，使这一个生产要素的性质和其他的不同。

美国早年是倾向于限制劳工在经营上发生阻碍的。最有意思的就是国会里所立下的反托拉斯法对于独占企业的兴起并没有发生阻遏的效力，可是却用来作禁止劳工组织的法律根据。劳资两方面既然发生了鸿沟，一方面的组合自会引起另一方面的组合，可是在时间上说，美国的情形是资早于劳。一八九〇年资方可以说已经有很坚固的独占组合，而健全的劳工立法一直要到两位罗斯福总统手上才算立下基础。以往的劳工运动的目标，还是不出沙滩上几位小姑娘所告诉我的三点。不过在这次大战中，新的倾向已经发生，我将留在以后再讲。

以西洋几个大国来说，苏俄和美国处于东西两端，从经济组织上论，这东西两端正代表社会和个人的两种偏重。美国对于东方这偏重社会的经济组织，在这次大战之前，成见很深。现在虽因罗斯福的领导，社会上一般的见解，已有很大的改变，但是已经改变了多少，还是不易说；所谓改变也不过是认为这两种经济形式可以并存互助，并不是说美国愿意接受苏俄的形式。因为过激的社会立法，在英国这些立法已被认为保守的东西，在美国还常有人指斥为“共产”。

美国劳工运动的落后原因很多，最重要的我们在上文曾一再提到的，在工业兴起的一八九〇年左右，美国西部还没有完全开发。凡是在工业里感受到不痛快的，可以向西去。美国最后一州新墨西哥到上次大战前两年才成立。我在上文中也曾指出，美国的工厂是靠欧洲移民来维持的。新入境的移民，语言也不太通，举目无亲的窘状中，谈不到团结。何况新大陆有工作可做已经比了故乡的生活高出无数，绝不敢轻易冒险和雇主作对。即使劳工有力量能影响立法机构通过劳工法案，可是在罗斯福当政之前，还是各州各自为政的，某州若保护劳工，那就等于驱逐企业家到别州去，对于本州似乎是有害无益。既有此顾忌，法案自然不易通过。

若是美国有开垦不完的边区，工业的繁荣又是一帆风顺，每一个劳工能得到合理的工资和就业的机会，劳工运动是没有必要，也没有意义。财富分配固然患在不均，可是还得看不均到什么程度，假若最低的收入也能丰衣足食，即使在上的享受过于王侯，社会上所起的不平之感，也不致太严重。假若最低的生活程度不能保障，即使没有什么富人，大贫和小贫之间还是会发生冲突的。

美国拓殖时代事实上在这世纪之初已经结束了。工业的发展，在技术上讲，本是可以无限的，但是因为现有经济制度包涵着矛盾，以致不能继续不断的繁荣，不景气的威胁使劳工对于职业失去了安定和保障。现代工业的矛盾是在生产和消费的配合里。企业家经营工业的目的是在获取利得，增加财富。生产是为了再生产。每生产一次，就得扣下一些利得为再生产之用。可是从一次生产到另一次生产之间，必须有消费者去购买生产品，给生产者以利益，才能继续这生产再生产的过程。若是一个社会中财富不能普遍的分散，则购买力也就不能增高。每个人的消费量究竟是有限的，大量的财富集中在少数人手中，这辈富人不能把所得都用来购买消费品，所以有一大部分财富消费不了，变成了生产资本。生产资本扩大，要发生利得，也必须有相配的购买力，一旦生产资本太大，社会上的购买力赶不上，所生产出来的东西销售不出，企业家无法获利，只有停止生产，经济活动停顿，劳工失业，这就是叫不景气。在以利得来做企业目的的经济结构中，繁荣和不景气好像有一定的循环。美国工业发达过程中每隔若干年必然有一次不景气：一八三七——一八四一；一八七三——一八七八；一八九三——一八九七；一九〇四，一九〇七，一九二一；一九二九——一九三三；这些都是不景气的年头。每逢一次不景气，大量的工人因工厂关门而失业。企业家、资本家在不景气中固然是倒霉，可是真正会遭遇饥饿的是那些因为企业家没有利益可图而关闭工厂之后失业的群众。在一九三二年有一千二百万人失业，满街是找不到工作做的流浪者，他们家里都是愁容满面的妇女和为了饥饿而哭闹的孩子。情形是极惨。

美国人民对于失业是颇有经验的。在我们中国因为最大多数的人民是在乡村中，而且大多有家庭、氏族、亲戚、朋友们互相通融，使失业不成为一个严重而使人谈虎色变的事体。有一次我和一位在大学里教书的美国朋友谈起。我说做中国人真不容易，责任太大，美国人多舒服！他笑了一笑："各有各的苦衷。我看你们不常忧虑职业问题，我们谁也不敢有此自信；不景气像鬼一般降临，大学的经费来源断绝，不能不缩紧；我们自己若没有积蓄，根本就不知道怎么办。你们可以有哥哥、弟弟、伯伯、叔叔等家里人，他们会觉得有帮你忙的责任。我们呢？谁也管不着。职业安全没有保障。"大学里教书的尚且这样说，其他的劳工更可想而知了。

尽管美国人保守着传统的消极民主，但是，这是他们具体而且切身的问题：职业的保障。因之，劳工运动虽则比了欧洲是落后，但总是免不了的。

美国的劳工运动中主要的是职业组合。同业的工人组成一个工会，各职业工会组织联合会，像美国的各州合组联邦一般。职业组合主要任务是"集体交涉"，用以提高工资和缩短工作时间，全美的总会叫A.F.L.（American Federation of Labor）。我对于这个组织曾有不太好的成见，因为这个工联是主张限制华侨最有力的团体。他们反对东方人到美国去，并不一定是瞧不起我们，而是因为他们要保障职业。他们怕生活低、工作勤的竞争者，所以排斥华工。其实这正反映了美国劳工眼光的浅近。他们不想在增加机会中去谋职业保障，反而流入消极的态度，想用经济以外的手段来消灭竞争。这组织在两次大战之间的二十年中，在美国劳工运动中势力最大，在一九二四年，会员有三百万。

美国劳工并不是没有眼光较远的人。差不多和工联同时兴起的有一个当时很有声誉的“劳工武士会”，名称很怪，英文是Noble Order of the Knights of Labor。这个工会是包括一切劳工，除了赌徒、开酒馆的、银行家、律师和掮客。他们主张八小时制，禁止童工，社会公用设备的公有，增加累积直接税，和土地制度的改良，换一句话说，他们是想在广义的社会改革中去提高劳工的生活和地位。他们主张用立法手段，从政治入手来改良经济制度。在政策和作风上，在我个人看来，是最可取的，可是十九世纪的时代，这些社会改革还是太早，时机未熟。以童工来说罢，我已得到过在美国独立的时代，哈密尔敦曾公开的奖励童工，他觉得工业的兴起可以提早一个人工作的时期。他不过是当时企业家的发言人罢了，代表着当时一般的见解。在二十世纪开始的时候，美国有七十五万从十岁到十五岁的儿童在工厂或其他职业里工作。有一个人调查了八个纺纱厂，发现了有五五六个十二岁以下的儿童在工作。另外一个人见到有六七岁的孩子，半夜两点钟时还在罐头公司里做工。反对童工的民意虽则逐渐增加，而且工业成年之后，对于童工的需要也降低，但是在一九三〇年还有二百万在十八岁以下的儿童在做工。一直要到罗斯福的新政实施，美国的童工问题才算解决。我举这个例子来说明广义的社会改革在早年只是属于理想的范围，所以这些“武士”们不易得到广大的同情，他们的组织也无缘发展。一直要到这次大战中，“武士会”的后身 CIO 的组织才在劳工运动中产生重要的力量，这是后话。

捌　关于华侨

在辞别文化联络处的会里，金老先生站起来致辞，他曾这样说：二十年前，在美国提到中国人，多多少少总会联想起洗衣房和菜馆。这联想固然不坏，清洁和美味，谁也不能否认是人生的基本愉快；可是现在我们美国的朋友们的希望和要求似乎已超过了这两项的服务了。这自然使我们更高兴了。

在中国看美国电影的人最怕是看见电影上有我们中国同胞的镜头。说来大概是我们要面子的心作祟，总会使我们觉得外国的导演们太喜欢挑那些奇形怪状的平脸扁鼻的丑相来代表中国人。在我们自己，即使拿了镜子照着自己，还相信没有这样难看。在导演的立场说，他并不是有意和我们为难，他要一个中国的角色，扮演的人必须使人一看就是中国人。在美国人的眼光中，依一般情形来说，确有个典型的中国人，这典型的概念使导演不能不依据它来选择他的演员。

美国对于中国人的典型哪里来的？一言以蔽之，是从他们实际所见到的中国人中得来的。他们中间到过中国来的并不多，他们所见到的中国人是在美的华侨。

华侨到美国去为时很早，最大多数是美国建筑贯通东西、衔接两洋的铁路时招去的。一八六二年美国国会批准了《太平洋铁路法案》。土地和资本都有着落，只欠劳工。工作相当苦，普通已经成家立业的移民对此并不踊跃，欧洲人吃不起苦，非洲土人不灵巧，不能胜任，所以大量的到中国来招工了。输入的华工在一万人以上。我不知道是什么因缘凑合，应征的大多是广东的台山人。即是以现在几万个华侨说，台山人还是占绝对的最大多数。美国华侨中通行的“唐话”是台山话。广州话还不算正牌，国语一直要到最近方可以通用。

我们不难想象当时愿意远涉重洋，给洋鬼子做工的是哪一种人。我们所谓体面的人大概不会为了几文工资抛井离乡，离去父母之邦的。和美国其他大多数的移民一般，早年的华侨是偏于穷苦的人，在教育上，不可能是太有成就的。我们却就靠他们作代表去和美国人民发生亲密的接触。

若是我们平心静气的看一看，我们得感谢这些耐苦勤俭、重许诺、讲义气的华侨。他们并没有真正的丢了我们的脸。固然，我不敢说在体格和在容貌上，这些华侨是我们中国的理想代表，可是他们的性格实在无愧于我们国内的同胞。他们的刻苦和努力使美国其他的移民都吃惊了。若是给华侨平等的机会向他们竞争，他们没有稳操左券的自信。因为这个威胁，铁路修成之后，排华的空气随着高涨起来。他们觉得和一个愿意接受较低生活程度的人民竞争是不合算的。因之，华侨在各种职业中受到有组织的排挤，结果只有两个行业留给华侨，一是洗衣，一是菜馆。在机器引用到家庭里之前，洗衣和煮饭是相当费事的。这些麻烦而且不太高尚的职业落入了我们华侨手里，维持我们几万华侨的生活。

我们若觉得美国的排华是件不幸的事（罗斯福总统在提出废止限制华侨入口的法案时，也曾说这是件美国历史上的大错），就该明白这不幸所以发生的原因。若是这些原因没有剔除，一纸立法还是不会发生效力的。

我们讨论这个问题时必须要能设身处地的替人想一想，人都是人，我们自己容易犯的过失不应当希望别人不容易犯。若是在我们的社会中有一群言语和我们不同，生活程度比我们低，教育水准又落后的人和我们一起住，我们会有什么感觉？再加上这群人在生活上有许多方面都和我们不同，我们认为应当这样做的，他们却不觉得应当这样做，讲理讲不通。我们又怎么辩？若是我们想象不出这个可能的境界，不妨看看我们的历史：为了回教徒不吃猪肉，我们曾经怎样对付过他们？

人都是人，对于生活习惯不同的人，最容易发生疑惧。我记得我家乡有若干湖南的移民住在太湖边上。湖南人和江苏人在生活习惯上相差不能算远；可是，不时就有谣言流传说湖南人会放蛊，甚至如若真有其事的一般，说某人在湖南人的网船上看见纸剪的小人，晚上放出来勾小孩的魂。我幼年听见了就害怕，甚至不敢单独在床上睡。这一类的事情是人性之常，若是愚蠢，这也是人类在某一时期最容易犯的愚蠢。

我乡下在二三十年前普通人的确相信洋鬼子是直脚，像僵尸一般，转不转弯。有一次有人看见一个西洋人手里拿根杖，就把这杖当做洋鬼子直脚的证明。大家认为千真万确了。假如脚不是直的，转弯不成问题时，为什么要拿根手杖呢？洋鬼子要挖眼睛，开肚子。这种信念不知是有什么根据，大概和他们的蓝眼睛有一点关系。至于洋鬼子和洋婆子拉着手在大街上走，那是说明了他们是毫无廉耻的。

民族和文化的接触初期，这些现在我们觉得怪可笑的附会是免不了的。我们自己既然这样，我们自不能希望别人不是怎样。假若你是一个外国人，不常到外乡去的，一天看见了一些男的拖着辫子，女的裹着小脚，奇奇怪怪模样的人，你会不加以注目？若是这时你乡间正有时疫流行，你会不联想到时疫和这对怪物有相当关系么？

美国本是一个文化和民族的大熔炉，各色各样的人混合在一起，对于异族的反感和猜忌比了其他地方的人民实在已经浅得多。加上了法律上对各种族有平等的规定，即使在事实上没有做到，至少在生命财产上是大家有保障的，所以除了早年对于黑人有过残暴的待遇外，大体说来，是一个相容相谅的新世界。相容相谅是可以用法律来规定，可是要大家亲热爱好则不能强致的了。华侨们若保守他原有生活习惯的话，要能积极参加当地的社会还是不容易的。文化差别即使不发生冲突，也够使人在生活上隔离。美国的大城市中都有中国城，华侨集居在中国城中，也就表示了他们生活中和当地社会的距离。

提起中国城我想补插一段话。中国城的形式是几条街，走进去使我想起香港或广州的风味。我到过纽约和芝加哥两处，据说最漂亮的中国城是在洛杉矶。满街是菜馆，有中英文的招牌，晚上霓虹灯下加上一些红漆绿花的雕阁，在外国人眼中，不失引人的东方色彩，中国城在美国看来是一种名胜区，到纽约的旅客，总要去观光一下，吃一盘 Chop Sueg，领略一下中国风味。自然有很多地方，好像拥挤，满街是人，以及赌博等特色，在我们见到心里不太舒服，可是喜欢新奇的美国人并不把中国城当做一个隔离区。假定中国加以改良一些的话，也很可以成为一个文化的标准。

话回过来，若是华侨和当地的人民只有文化上的距离，这距离慢慢就会接近。我认识不少年轻土生的侨民，他们是美国籍，从美国教育中长大，除了体形相貌外，大部分已经美国化了。他们慢慢的参加了美国的社会，逐渐进入洗衣和菜馆之外的其他职业。我很熟悉的朋友就在青年会做社会服务工作。这次战争更把各种职业开放了，工厂里、政府里都有华侨在工作。可是在战前，职业的门开得并不宽大，所以我不能不用“慢慢的”和“逐渐的”等形容词来说明这过程。

排斥华侨的主要原因是经济的。华侨之所以被招到美国是为了经济的原因，美国西部开发时需要能吃苦的劳工；这需要一过去，华侨就成了其他劳工的竞争者了。华侨不能买地耕作，所以，今从农业社会中出去的儿女不能接近土地；华侨在战前不易在工厂里做工，因为有工会反对招募华工。中国人生活程度低，不争工资，厂方自然不反对这种便宜的劳工，可是做工的人逢到了这种人就头大了。所以反对华侨人口最烈的是职工联合会。一方面说也是华侨自己讨来的没趣，因为他们没有团结精神，不尊重劳工的共同利益。若是华侨自己有组织，能保证不接受比普通较低的工资，同时又能守信用，我觉得美国的劳工也不致特别反对华工。美国工人怕华工是有理由的，我们要能使他们不觉得华工是面包的竞争者，也许还得下一些工夫。

最后一点使华侨受歧视的还是华侨本身的教育。当过留学生的人会告诉你，他们在国外，除了误会或特殊情形外，并不致受到太难堪的待遇。假如不幸而有此经验的也必然是在学校范围之外。若是对方有机会知道你是个学生，你也在行为上、态度上，表示出是个有教育的人，你可以得到很密切和平等的友谊。可是华侨中，除了土生者以外，很少是有高等教育的。没有教育使他们不能在大社会中得到社交的机会，于是不能不把自己封锁在自己人里面，用低级的娱乐来消磨孤独的生活。愈是向这方面发展，像赌博甚至抽烟等等，他们也愈是加入不了美国人的社会，被外界的社会所遗弃。生活是苦闷，气味是又土又俗，连我们中国出去的人都不愿和他们交往。说是别人排斥他们，还不如说他们自己落在社会之后为妥。

华侨中肯努力的、求上进的，在美国社会中并不是没有出头的机会，我认识的一位华侨朋友，他的母亲为人和气，正直，同她丈夫一同经营一家洗衣房，在四邻得到了大家的器重（他们并不在中国城住），她的儿女都进了大学，她自己被推作法庭的陪审员。战争发生了，她参加了军火工厂，两个儿子都到军队里服务。有一次政府奖励她工厂里的工人，她就当了代表。这不过是一个例子。纽约市的工程处处长是华侨，其他著名科学家中也有不少是华侨。

普通说来，华侨的处境，除了生活有相当保障外，发展是不太容易。初入境的人，只有咬紧牙关，拼命工作。他们看见美国的繁荣和机会，自己却不容易得到，所以把一切希望都放在子女身上。他们结婚时常很迟，所以到现在大体说来还不过是三四代。大多数还不过两代。这些子女接受了美国的教育，在知识和文化上赶上了美国的水准。他们有志气的自然知道生活的艰苦和努力的必要。在这第二代的侨生中，我们可以盼望他们能在社会上表现出中华儿女的才能，能在美国的文化上作最大可能的贡献。也只有从他们的努力中使美国人对于中国人的看法能慢慢改变过来。这次战争是华侨表现他们才能和忠诚的最好机会。我们希望太平洋两岸的盟国能在这次战争中结束以往所有不幸的误会。

玖　文化的隔膜

在说到华侨的处境时，我曾提到文化的隔膜。这其实是当前世界上的一个十分严重的问题，我在这次访美的一年中，感想最深的也是这个问题。

几十年、几百年之后，这次战争的惨痛经验，逐渐在时间里消失了，回头再来看这段历史，或者有人会说，若没有这次战争，世界上文化的混合决不会有如是之速。地球上各地方，各自在个别的历史里孕育成的人民，在这短短的十年中，利用了现代的交通工具，为了战争的需要，大规模的互相渗透往来，结果必然会引起世界文化的一个新纪元。可是在这混同初期，大家多少会发生那些早年的华侨在客地生活的苦处。我们若是对己对人没有亲切的了解，没有容忍的怀抱，势必沦于惶惑紊乱；立身处世，缺乏标准；患得患失，无所适从；道德沦亡，事业沮败，成为后来者的鉴戒。北美的印第安人现在已经很少人提到他们了；文化的接触，把他们消灭了。

说到了解自己和别人的文化，修养容忍欣赏的态度，真是谈何容易。我在上文中所申述的美国人民生活处世的方式，虽已费了相当笔墨，可是还是在皮毛上发挥，甚至是和盲人摸象一般，远非全貌。文化的深处时常并不是在典章制度之中，而是在人民洒扫应对的日常起居之间。一举手，一投足，看是那样自然，不加做作，可是事实上却全没有任意之处，可说是都受着一套从小潜移默化中得来的价值体系所控制。在什么场合之下，应当怎样举止，文化替我们早就安排好，不必我们临中考虑、犹豫取决的。愈是基本的价值，我们也愈是不加思索。行为时最不经意的，也就是最深入的文化表现。文化的用处就在使我们做人处世时毫不费力而全合符节。可是正因为文化的基本价值体系是深入我们的习惯，不必我们费力思索，所以生活在一个文化体系里的人，对于日常实践的标准是时常最不自觉的。我们的习惯不需要理由，这可并不是说养成习惯的文化没有原则。我们不自觉自己文化的原则是因为在日常的生活中，没有这需要。可是一旦我们和不同文化接触，我们需要互相谋适应的时候，却得各自检讨自奉的原则了。

我在这本小册子中很想找出一个美国人民生活方式的脉络来。过去的几章多少是出于这种企图而写下的。在寻求他们文化的来龙之后，曾大胆的举出了几个主流；可是写到这里，我不能不担心自己所见到的种种和原样可能差得很远。当我初到美国时曾在《旅美寄言》中说出我这心事：

当我每次想写通信时，我总是有一点迟疑，我不是又在画一幅漫画给我的读者么？我又怎能避免不这样做呢？假定有一个第一次到中国去的美国朋友，在昆明下了飞机，到城里逛了一转，回旅馆写信给他太太，一定说中国女人都是不知道害羞的，因为在车上，在门前，在客厅里，随处都会解开衣服喂奶给孩子吃。我们听见了自然不高兴，而我在这里写信给你们是否也会专门挑些“奇形怪状”来描写给你们听呢？尽管我自己可以认为读过社会学，教过人类学，但是要我保证说我在这些通信中不致犯这种弊病。我决不敢。

在我继续叙述美国人民的生活之前，我不能不先申说一番了解别人基本文化的不易。这里不妨举些实例来说明文化的隔膜。

有一天晚上，我在康桥一位在大学里教社会学的教授家里吃夜饭。饭后围着炉子闲谈，不知怎样说到了中国人的性格。我就问那位教授，他觉得中国人是怎样的。他说："中国朋友似乎是很拘谨，很不易亲热。"我问他："何以觉得如是呢？"他想了一想："譬如往来很密的中国朋友，见了我总是称我作××教授。这样称呼，我们怎能觉得有亲密的友谊呢？"

称呼是最平常的事了。普通人从没有自觉过每一种称呼都反映着全盘的社会结构。我在美国才初次感觉到见了称呼的不易。我在事前并没有注意到这问题，也没有人告诉我在美国见了人应该怎样称呼，我只有用自己在中国所熟悉的体系用在美国了。在初见一位生人的时候，我总是口口声声的称人做院长、教授、先生、太太、小姐，似乎没有多大问题。可是住久了和那些日常接触的朋友们依旧用这些称呼时，他们似乎很窘。依美国的方式，在这种情形之下，大多得改口互相用不带姓的名字相称了。很多名字还得缩短了相称，例如 Robert 称 Bob，William 称 Bill。（那真是难为了我这从书本上学会英文的外客了，你想：这种缩法有什么理由？叫人怎会明白？）他们很顺的叫起我"孝通"时，我不知道什么道理改不上口。譬如，帮我写书的那位院长太太，本是我以前一位老师的女儿，现在已有四十多岁，她屡次和我直说不要老是称她做 ×× 太太，该直称她做 Greta。她更告诉我说，若是我总是规规矩矩的 ×× 太太长，×× 太太短，她会觉得我有意和她生疏了。她的确待我和家里人一般，我没有理由生疏她，所以下了几次决心要改口了，可是刚要出口，就觉得无论如何向一个比我年纪高，我十分尊敬的太太直呼她的名字是不成的。这时，我才亲切的明白了文化的作用了。理智上，我明知我非按着美国的方式做不可，做了能增进相互间的感情，但是我的习惯不允许我。我只能向那位太太道歉，说我实在没有法子改口，同时，我又声明我的不改口，并非对她不领情有意生疏。

那天晚上，哈佛的那位教授又提起了这称呼的问题来了，我就借此机会问他，美国社会上关于称呼有没有一定的规则？他又想了一想，笑起来说："我们并没有注意过这问题，大家逢着什么人应当怎样称呼时，不必思索的就开口了。规则么？不能说没有，可是我们并不需要成文的规则，所以也没有人把这规则弄得很清楚。"

我们就在这晚上互相把中美两个文化中关于称呼的情形比较了一下。我先问他们假若他遇见一个老师，他怎么称呼？他说在学校里，时常是称某某教授或是某某先生。出了学校之后，若一同做事，相熟了，也就可以改口称名字了。除了那些老教授，有时大家还是用教授来称他们。可是另外一位朋友却插口说："即是在学校里，学生用名字来称老师也是有的，老师也不会觉得唐突。"最后使我更惊异的是那位教授说他的儿子并不称他作"爸爸"，而用绰号来称他。他又举了不少例子，儿女是以名字称他们父母的；至于媳妇见翁姑时，用名字相称更是普遍。

其实稍稍注意美国人往来的信札就可以见到他们对于先生、太太，或其他职位名称的厌恶了。罗斯福总统给他属员或国会里议员的重要信件常常是 Dear John 一类开头的。有一次居里先生和我说：在华盛顿别人若称你作某某教授，你在政府里做事也做不稳了；称你作某某博士，还是不成；称你作某某先生稍微好一些，要等人家用你名字相称时才行。居里先生大概就是从这类称呼中蜕变出来的人，应当也是最明白这些称呼社会意义的人。

中国人大概都像我自己，要我向一个比我年长、辈分高的人，不论用中文或英文，直呼其名，是决不能油然出口的。这是因为在我们的社会中这种称呼是不许可的。从小的训练已使我们不必思索的遵守着这规则，即使在我们明白了美国的方式之后，在美国社会中生活，还是无法很容易改口。

我还知道一个实例可以说明我们对于美国这种称呼方式的反感。有一位在美国生长的中国朋友，很自然的养成了这种用名字来称呼人的方式。他的年纪和地位还不过和我差不多。有一次他到了哈佛去住了一回。中国同学们背后对他很不满意，说他骄谩。我就问他们何以见得他骄谩呢？有一位朋友说："他满口的适之、适之，我就听不惯。他有什么资格称胡先生作适之？"

我把这件事讲给了哈佛的那位教授听，接着我说："谁不用自己的文化中养成的习惯应用到别的文化中去，而去批评别人'太拘谨'或'太骄谩'呢？"

为什么像称呼一样的细节，中美两个文化中，可以有此差别？这问题我将留在下一章中申论。这里我所要读者记着的就是一个人和文化不同的人相处时就不免有这类困难发生；不知不觉之间，用了自己文化中养成已经不很自觉的标准，来推测另一文化中生长出来的人的行为。愈是和不同文化的人往来密切了，这种困难也愈多。试看有多少异族婚姻的夫妇是美满的？可是文化不同的人在现代世界中不能画地自处，老死不相往来的。我们怎么办呢？岂不是永远将在不美满的婚姻中相互磨难终生了么？

我自然很希望世界上有一天所有的人类会真的成为一家人，一家人的意思是指文化上大家相同。可是这也不是顷刻可致的。我们至少还得有相当长的年月，要时常和文化不同的人合作同工。在这时期中，我们一定有烦恼，连日常的称呼都会使我们发窘。我们唯一可以希望的只有用理智来克服感情，用了解来培养容忍。譬如上述称呼的例子中，若是我们明白了中美两种方式，各有各的背境，各有各的理由，美国朋友能了解我们不容易改口以名字相称并非表示我们“不近人情”或是“太拘谨”；我们能知道他们对长者用名字相称并不是“过分”“踰位”或是“太骄谩”；大家用自己习惯方式相处，也就不致发生误会了。

我这样说，并不是主张各行其是，不求自身的改革。我们自然可以考虑尊老敬长是否合于现代的精神。那是另一问题。也许美国人得向我们这方面走一步，我们也得向他们的方向走一步，这是相互了解了各种文化之后的事。在目前，我们应当全力先做到相互的了解、相互的容忍。在了解里得到容忍，能容忍才能谈得到相互观摩、相互取长补短。

世界上各式各样文化里长成的人现在已开始急速的渗透往来，我们必须能相安相处、合作同工。可是在我们的心理上却还没有养成求了解、讲容忍的精神，说不定我们因之还会发生种种烦恼、种种磨擦。在将来的历史学家看来，也许会说我们在建立天下一家的世界过程中曾付出了太大而且不必需的代价。

拾　老而不死

称呼固然是社交的细节，可是这细节却反映了东西文化基本差异的一点。让我们在这类细节上再细细想想。

我们见了人总有几句客套，其中之一是“贵庚多少？”这本是所谓寒暄，无关宏旨。可是这些不经意的口头禅岂是偶然的么？不是的。在我们的社会里各人相对的行为时常是依着长幼之序来安排的。以我自己的经验来说，有比我年长的人在旁，他若不坐，我坐着就不安心，很自然的会站起来；走路时，也是长者在前，幼者在后。我们要恭维人家必然是说这人很老成。长长的胡子是一种德高望重的标记。在我们的社会结构中总是分有尊卑的，年龄是尊卑的标准。从这个基本原则上，我们可以明白为什么我对院长太太无法改口称她的名字了。称呼在我们是规定人们相对地位的符号，对于长者得尊尊敬敬的称声老伯，只有在上的人才能用名字直呼在下的人；在下的人若用名字称在上的人就表示违犯了社会的结构原则，怎能不引起反感。

中国社会中敬老是一项基本道德，用来维持长老统治的方式。我在美国住了一年，暗地里不免庆幸自己是中国人。日子过得快，年纪跟着长。假若我是美国人，我会怎样心慌？当然，我每次看见自己两鬓渐生白发，也会感觉到一点凄凉寂寞，年华逝水，“朝似青丝暮成雪”，人事渐非；可是我还记得很清楚，当我在乡下和父老们闲话，听他们说“贵庚快到五十了罢”时，我并不认为是一种讽刺，虽则离五十还有十多年，反而觉得很有面子。若是我不留心向美国人说了这句话，即使是向男子说，也定会引起不高兴的反应。

“千万记着不要问别人的年纪。他们的女子最高的年龄是二十五”，这是我临行时朋友给我的一条诫言。但是这次旅行中，我总是遇着些长辈，头发白白的或是秃顶的学者们；有时为了要表示我的敬意，偶一不慎就直接或间接的犯了这条诫。入国问禁是不够的，问了还得记住；记住还是有时不够，非像他们一般根本把“老”

字译作“快死的”，“没有用的”，和“怎么不知趣些，还不滚蛋的东西”等等意义不成。一天若把老字联在可敬的态度，那随时都会出毛病。

幽默的老者知道东方规矩的，也有时特地欣赏我偶然露出来的“不敬”。我在哈佛遇着 Elton Mayo 教授。他那支长烟管不禁使我想起我们乡间老年人那种闲情逸致的神气；后来我在写给另外一位朋友的信上带了一句：“梅岳先生的微笑在我怪熟的，很像我们中国的老者。”不久，我接到梅岳教授一封短简：“我很爱看你们名书上老年人智慧的表情。我真高兴我会被这个国家里的人归入这些老者的一类。”

高兴得特地要写信来道谢，或是不高兴得连话都接不上，面孔都红了起来，——这都表示了美国人对于年纪的感觉过敏。年纪一把的老太太，擦粉点口红，妖妖娆娆的装做少女；腰大数围，穿着高跟鞋，听人说她年轻美貌，就快活得嘴都合不拢；连男人都白发红颜，跳跳闹闹的，一点也不过虑别人“不识余心乐”，老是“偷闲学少年”。这是怎么一回事呢？你想，和儿女互相用名字称呼，辈分都不分，在我们看来，真是太那个了，不是？这里东西文化的分别实在太清楚了。

我老实说很早就看不太惯这种装年轻的风气（我常说，到外国去了，才知道自己真是中国人），可是再看一看，装年轻的也有他们的苦衷。他们实在怕老。在他们社会里，年老了实在太苦。不但美国如此，欧洲各个工业国家多少都有这情形。我记得十多年前，我和哥哥一同在柏林过暑假，正住在一个公园的前面，开窗就看见一些老太婆们寂寂寞寞在公园里从早到晚的闲呆着。我常说："天下没有比公园里硬板凳上坐着的老太婆更苦的了。"她们除了公园里的太阳外（北欧的太阳已够微弱的了），简直没有半点温存。她们的儿女们这样忍心！我想起家乡的老牛，耕作一生，主人们还有时记念它们的辛劳，不愿自己宰了吃它的肉。世上人情的厚薄可以相差得这样远！

美国是一个年轻的文化，是一个从移民中长成的社会，是一个从原野里创造出来的国家。丰富的资源亟待开发的早年环境里，机会虽多，可是蛮荒未辟，因之须奖励个人独立创制的性格。凡是囿灭个性发展的各种因素都视作当时拓殖精神的阻碍，加以贬值。重视乡土，膺服长老等观念，在他们是等于没有志气。而且在事实上，他们一生的成败的确大部分关于一己的能力。一个贫困的少年在十几年中成为百万巨富，在最近的过去还是件极普通的事。每个美国孩子至少在理论上都有做到大总统的机会。在机会丰富的社会中，个人的出路不必依靠若祖若父的余荫。美国人崇拜的不是身出名门的望族，而是白手起家的好汉，所以 Self-made man 被视为社会英雄。各人既凭一己能力来创立事业，年龄也成了一个威胁。愈老，可以利用的时间也愈短；精力衰竭是落伍的预兆。老了，也就不足畏矣。

若是一个社会里事业的成败靠体力智力的竞争，老者怎能吃得消年轻人的排挤？ Ogborn 教授有一天搔着他的白发说："统计上的数字的确有时会威胁老年人。"在美国，游艺技击最有成就的是从二十五岁到三十岁的人物。诗人最多是出在三十岁到三十五岁，三十五到四十岁是技工们最有贡献的时期。四十岁之上，就没有什么了不起的了。议员的年纪固然平均在五十岁左右，但是有多少老头能坐在国会里出风头？就以学术界来说罢，六十五岁必须退休，白发教授讲书也许讲得好，但是研究工作却远没有少壮教授们狠了。言下这位老教授很有一点感触。

我接着说："当然，用体力和智力来竞争，老者怎能不吃亏？可是你们怎么不利用老头们的特长呢？"

"有什么特长，除了年纪？"

"难道年纪不表示经验丰富，世故深长，眼光老到么？在我们中文里，世故、老到都是好字眼，用来恭维人的。一个社会中成败若取决于经验的话，老年人就不致活活地被淘汰了。"

"在西洋是讲新，讲标准化；在东方是讲传统，讲经验；我们就分了家。"

在年轻的文化里，你想，经验有什么可以宝贵的呢？牛顿费了一生才发明的物理定律，现在的大学生一星期就学会了，有公式，有教科书。经验提出了精华，像维他命一般做成了丸药，一口就吞了下去。这话在我们中国人听来固然近于可笑，人事岂也有如此简单？可是在美国什么都在"摘要""拔萃"，销路最广的杂志是《读者文摘》。最近我读到一本小说，说有人发明了一种"无愁丸"，凡是心情不快的，吃一粒丸药，就心平气和。

我们虽则可以把这种企图看成狂想（在美国狂想成为事实的确不少），可是我们可以看到他们的梦中，还是念念不忘公式和丸药。

谁也不能说美国这种重公式不重经验的文化要不得。科学的目的就在整理私人经验，变成大家可以得到的公式。靠了这精神，美国的生产才可以有这样惊人的发展。可是我因为离开老年已经不远，总觉得除非人们真的能发明一种不老之方，在一个使人会怕老的文化中生活究竟不是玩的。一个社会不给老年人一个安心之处，也就使每个人心里永远得不到着落。你想：若是你明明知道你总会被人奚落，掉在冷宫里受罪，而且这运命一天近一天，你能平心的过日子么？一个人若把年老看成不幸，我觉得，他决不能真正安心过日子的。

我记得感恩节那天晚上，请我去参加过节的那位主人为了要用东方的空气来款待我，所以找出了他父亲遗下的日记，把从一九〇一年起每个感恩节的记录都念给我听——

这位父亲很高兴的写着他儿子都快成年了，可是接着却很萧条的加了一句：“他们也快离开我们了。”我是明白大家庭一切悲剧的，可是在这一刹那我却成了一个反动分子，觉得辛辛苦苦把孩子领大了，眼瞧着他们像燕子一般分飞，自己只能在公园里坐冷板凳、喂鸽子也是太惨了。有位太太曾和我说："我女儿出嫁了，我总觉得缺了什么似的，可是，这又有什么办法呢？"

你说美国的老年人不觉到寂寞么？人都是人，根本是一样的。那位太太又告诉我说："现在美国有了个母亲节，是五月里的第二个星期天。我们都得送东西给母亲，我知道我的母亲收到了礼物真高兴。"我就问她有没有父亲节呢？她说有的，可是她却记不起来是哪一天了。她接着说："没有关系，她们的母亲们会买了东西用孩子的名字送给他们的父亲。"

"一年只有一个母亲节！母亲们还是这样高兴。"我忍不住加了一句，"我幸亏不生在美国。"

在这种没有退路的社会里，退休会成为最厉害的刑罚。Linton 教授和我说："真是奇怪，在美国，老头们都不愿退休，一退休不久就会死了。"——我想想都可怕。

我们若觉得在中国社会里可以不怕老，假定这是使人能安心生活的张本，这也是有它的社会背景的，而且为了这一点，我们所费的代价也不轻，是否值得还是很成问题的。

维持我们尊敬老年人的就是我们这个经济上已经不易有新的扩展机会的社会。我们的人口这样多，资源又这样有限，个人生活的机会多得一一的从上代的手中接承下来。在农业经济中，基本的资源是土地。若是没有像美国一般广大的西方可以开垦，土地的面积无从增大，每一个人想在土地上谋工作和经营的机会，必须向别人手上去取来，最自然的自是求之于和自己有亲属关系的父兄了。父兄既然握有我们生活机会的权力，我们当然不能把他们视作无足轻重的人物了。

在经济机会不住在扩展中的社会里的人们不会感觉到长辈的权力。他们有父兄地位的财产的荫庇固然方便，但是没有的话也不要紧。我在上面也说起过美国很多成功的大企业家是白手起家的。在机会丰富的环境里，早年愈是艰苦的人，成功的可能性似乎也愈大。人间的事，有好的一面，也必然有坏的一面。有父兄荫庇的人，固然有安全，可是因为生活有安全，他也就不会受新机会的引诱，肯冒险尝试新的企业；安分使他不能有发展，他至多不过能守成罢了。一个社会中若都是些守成的人，这社会也必然停滞在现状上。早年吃过苦，明白不自力更生，一生就没有出路，一不小心就会尝着失业和饥饿的味道，这种人是最能冒险的。假若这社会的客观环境已经定型，没有发展的机会，则这些铤而走险的人也是不会有着落，至多成为社会上的破坏分子：成则为王，败则为寇，成功的机会却又远没有失败的多。若是他们正逢着社会的经济基础在膨胀，他们的冒险正是拾取新机会的动力，比较容易收纳在社会的正规上，成为新秩序里的英雄。

东方和西方的分化也许就在这一点上，东方的农业封锁了经济发展的机会，而西方的工业却打破了这封锁线。经济封锁线内生活的人，聪明一些就该承认传统秩序，在已有秩序里求地位，因之他们必然会对这秩序的维持者的老年人表示尊敬和感激；不这样，他们是自寻烦恼和灭亡。

我看了美国人那种爱好新奇、勇于尝试的精神，使我常想起我幼年时的一位倒霉的朋友。他是我们熟悉的船户的儿子，常到我们家里来和我们玩的，名字叫万年。不知什么原因，他的性格里有着和美国人相近的精神。年纪大了，不肯结婚；他觉得家庭是一个无聊的累赘。我那时不懂得这意思，跟着别人笑他脾气怪。其实就是这一件小事已够说明了他不肯接受既存秩序的性格了。他到我们家里来，总带着一些被人笑话的怪想头。我记得有一次我和他说若是有一个人能想出一个写椭圆形的仪式，他一定能成一个大科学家；他听了，足足费了半年，见我面就和我讨论，他在试验，结果是没有，不消说。我也笑过他，可是现在想起了，万年若是生在美国，他决不致后来被人奚落，一直到死在异乡。他的结局是相当惨。他父亲常和我祖母说："这孩子，正业不做，将来总会连累老人家。"这话是实现了。他被人捉住，不知在什么罪名中，关在牢里。牢里出来，就不知去向了。留在我家里的是祖母对我们教训："不要胡闹，看看万年。"万年生错了地方，生错了时代。他必然会痛心，他的一生竟会被用来做他小朋友的锁戒。

承认传统成为美德原来也是有实利的。谁愿意做万年？可是承认传统的结果，在个人说，固然可以使我们在经济封锁线内得到我们的生活和安全；从整个社会说，却是一个增强经济封锁的力量。当有人问，为什么中国不发生科学，不发展工业。我们在聪明才智上并不落人之后？这似乎是鸡生蛋、蛋生鸡的问题。究竟是因为我们经济封锁在农业里之后才使我们尊重传统、敬爱老人的呢？还是为了我们尊重传统、敬爱老人而使我们打不出农业所给予我们机会的封锁呢？我自然不能回答这问题，可是一旦我们走入了这圈子，就会永远团团打转了。

依我这样说来，经济的封锁线既然已经被科学打破，人类的机会可能会日增无已，老年人所持以获得尊敬的基础似乎已经动摇了。我们不是会都走上美国路线：时间、年龄会成为我们的怨家了么？我并不愿意这样预测，我已说过，这是我私心的打算，因为我自己不愿给时代所遗弃。我虽则不知道在新的世纪里老年人将怎样去恢复他被尊敬的地位，可是我觉得今后的老者若还要受人尊敬的话，决不能依靠他独占社会地位的权力去收买年轻者的尊敬的。这种时代，即使我们快老的人还不忍放弃，决没有理由可以希望它永矢不变的了。我们若找不到新的被人尊敬爱好的地位，我们会在白发满头的时代，在公园里坐硬板凳等死神的解脱。那时，我们会体悉到现在西洋这些老年人的苦处了。

老年不应当使我们胆怯的，可是老年也不应当是传统的权力，什么时候我们能和白朗宁一同吟诵：

和我一起长！
最好的在前面。
生命的结束，
为它我们才有早年。
我们的时间是在这种人的手上，
他能说：
我绘画这整个，
青年不过是一半；
信赖上帝，看到全面，
不要胆怯。

拾壹　鬼的消灭

我应芝加哥大学之约到他们那里去写我那本*Earthbound China*。到了这儿后，一位书记小姐把我带到社会科学大楼五层楼的五〇二号，很客气的说："若你觉得还可以将就的话，这就是你的书房。"我在门上一看，一小方的铜格里写着 Robert Park 字样。这位机警的书记立刻补充了一句："我还没有把你的大名写上去，要等你来决定。"

"不要换，我喜欢这名字。"我说了句她不容易了解的话。

原来派克先生是我的老师。他曾在我在大学里念书时到过燕京来。我那时虽则还是个莫名其妙的学生，在他班上，除了怨恨这老头偏偏喜欢在清早七点钟上课，既不缺课，又不迟到，弄得我早点都吃不成外，我对他可以说是十分崇拜的。就在他的课上，我决定了此后十多年的运命，苦的甜的都不能不归功或归罪于这老头。他是芝加哥学派社会学的始祖，他主张社会学的主题是在了解人性。我喜欢他的理由也许是在他不要我多读社会学大纲而多读一些小说。小说不够，得自己去实地体验各色各样的生活。我总是记着他的这些话，奉行了十年。这次到美国去就想再去听听他的课，可是各地的奔波，一直到半年后才到芝加哥。这位老先生受不住芝加哥的寒冷，已经到南方去了。我就安置在他的办公室里。

在我，这件有意或无意的安排是深有意义。我在派克老师班上是一个未受青睐的小学生。这自是一件憾事。经了这十多年，虽则依旧没有什么成就，可是总是还希望老师能说我一句好话。私心窃喜，在他常坐的椅子上，一定会得到一点他余下的灵感，希望写出一本能自偿以前辜负他起早，谆谆教导我们的苦心。这里似乎有一种历史的因缘，目前的情境因过去的纪念而发生了超出于现有一切之上的意义。我坚持着不要把门上的名牌取下，我需要具体、生动、活着的历史。我自觉，这门牌、这些围在墙壁上的旧书，甚至这屋内的空气，都动不得，在这一切留着的过去里，我看到了在几个月之后，在桌上可能有的那本 *Earthbound China* 的稿纸。动一动，一切可能都会完了。

这其实就是我在上一章所提到的“传统”，传统并不一定是阻遏新生的。它有它的坏处，若是年老的，以及过去的种种为他的尊严和特权，维持着不准变动的已成局面，那就发挥了传统坏的一方面，可是，事实上，一切新的都是从旧的里面诞生出来的。这种亲属关系也绝不应该抹杀；在认取这关系时，我们给予新旧之间一种承续和绵延的意义。若是我们能发生那种历史的感情，我相信这个世界，这个人生可以丰富得多。我们若去游山玩水，我们可以只在当前现象的美中欣赏这景色；若是我们曾经在这山水中留下过一段人生中值得纪念的往事，当前的景色可以更加上一层使人留恋的亲切之感；若这是一个故迹，我们更能因别人曾在这地方发抒过的情意，加重我们当时的心境。人并不是活于当前当时的，生命不是片刻的串联。我们需要历史，历史是灵感的泉源。我们若在这方面去接受传统，我们所得的是传统的一方面。

有时，我觉得世界是很奇怪的。我们东方承认传统，可是我们接受的却是传统坏的一方面。西洋似乎有意的漠视传统，结果连好的方面也丧失了。

当然，我说西洋似乎有意的漠视传统，并不完全是事实。从大处讲，他们每个人对于自己国家的历史知识比我多得多。每一个孩子到纽约总是要去瞻仰自由女神的巨像，回来就必然会寻访那华盛顿常到的教堂。在华府，有着高矗百尺的华盛顿纪念塔，有林肯的纪念堂，现在，还有哲斐孙的纪念堂。凡是只有几百年历史的建筑，甚至会加上古迹之名来加以保存。从小处讲，他们会记日记，他们会写自传。我已提起过前年过感恩节时，我的主人还抱出一大叠他父亲的日记来。我在雷德斐教授家里，派克太太也特地要我去看在他客厅的角里所有雷氏祖先的相片。乌格朋教授的楼梯壁上一代一代的祖先遗像排列的整整齐齐。也许是因为我在某一次夜会里发挥了一篇美国人缺乏历史感情的谈话，我所接触的朋友似乎有意的要矫正我的错觉，每每特别要我注意他们对于祖先的关切。这都是事实，可这我总觉得他们的认取传统，多少是出于有意的、理智的，和做出来的。这和我们不同。我之所以这样感觉的理由，因为我发觉美国人是没有鬼的。传统成为具体，成为生活的一部分，成为神圣，成为可怕可爱的时候，它变成了鬼。这等于Darkhiem所说社会团结力的表现是上帝。

我写到这里，我又衷心觉得中国文化骨子里是相当美的。能在有鬼的世界中生活是幸福的。让我在这里说一些自己的经验。

我在幼年时，因为家道中衰，已经不住在那种四五进厅厦的大宅里面，可是所住的那一大落楼房，至少有一半是常常锁着留给不常光顾的什么伯伯叔叔们回家来住的；还有一小半是太阳光从来就没有到过的黑房，日常起居所到的其实没有几间，至于柴间背后的大厨房，花园后落的小屋等，更是有如神话中的去处，想起了都会使孩子发抖。这种冷落暗淡的房屋中，人的世界比鬼的世界小得多。譬如从书房去卧室，一定得经过一间“纱窗间”，才能上楼。这间纱窗间（我一生也忘不了），即在正午也黑得辨不清墙角里堆着的东西，也许是我从来没有敢好好睁开过眼睛从这里走过，可是无论如何，这是我每天不得不冒险的航程——这里，我至今还不敢否认，是鬼世界的中心。恐惧是我年幼的日常的经验，连我睡的床背后就有一间被认为无时无刻保得住没有鬼伸手出来的套房。

这环境，本来已够发生恐惧的感觉了，加上了没有一天没有人不用鬼来恐吓，或是娱乐我们这批孩子。在床上哭得不肯停，大人们就一撒手："让套房里的鬼伸手来捉你去。"发脾气顽皮时，耳边就有"关他到纱窗间里让鬼去捉他"。夏天在院子里乘凉，拉着人要讲故事，哪一个故事里没有半打鬼？我对于草木鸟兽之名识得不多，可是要我来写一本《续何典》，或者很可以胜任，背出一大串鬼名来一点不觉得困难。

我绝不夸大，像我这种小市镇里长大的人，幼年时节，人和鬼是一样的具体、真实。人事忘得了，鬼事却磨灭不了。我至今还清清楚楚记得，我哥哥怎样在楼上看见了我们丫头关了房门，可是下楼来看见那个丫头明明白白在楼下，从没上过楼。——现在想起来还是亲切得好像是我自己的经历一般。

正因为从小一半在鬼世界里长大，我对于鬼也特别有兴趣。慢慢的从恐惧变成好奇，由好奇变成爱慕，甚至有一点为生长在没有鬼的世界里的人可惜。这次在美国住了快一年，最觉得生疏的，就是没有人和我讲鬼故事。我绝不愿意恭维这个世界，虽则我承认在他们这种世界里生长的孩子是比我们舒服些，不会整天在提心吊胆中过活。可是也许他们为此得付一笔很大的代价，这代价我是不愿意付的。

我对于鬼的态度逐渐改变是开始在祖母死的那年。祖母死后不久，有一天，我一个人坐在庭前，向祖母的卧房里望去。这是近午的时刻。在平时，祖母总是在此刻下厨房看午饭预备得怎样。她到厨房看了一次就快开饭了，这是我那时熟习的情境。祖母死后一切日常起居程序还没有变。一几一椅一床一席都没有改变位置。每天有近午的时刻，这时刻我也照例会感觉到饥饿。潜意识里这整个情境中缺不了祖母日常有规律的动作，于是那天我似乎看见祖母的影子又从卧房中出来到厨房中去。若说是我见了鬼，那是我平生的第一次。当时我一点也不觉异样，因为这情境是这样合理和熟习。过了一回儿，想起了祖母已死，才有一些怅惘，决不是恐惧，而是逢到一种不该发生的缺憾竟其发生时所有的感伤。

同时又好像领悟了一种美的情景既已有了，就不会无的认识。目前的遗失好像只是在时间上错隔了一些，这个错隔，我又觉得，好像是可以消除似的。永恒不潺的启示袭上心来，宇宙展开了另一种格局。在这格局里我们的生命并不只是在时间里穿行，过一刻，丢一刻；过一站，失一站。生命在创造中改变了时间的绝对性：它把过去变成现在，不，是在镕合过去、现在、未来，成为一串不减的，层层推出的情景——三度一体，这就是鬼，就是我不但不怕，而且开始渴求的对象。

我不太看得惯现在那种只知道此时此刻的人。把此时此刻当做存在是虚幻的感觉。我们的一举一动中本身就累积着宇宙元始时起一直进化到现在的整个历史，而且这一举一动又就在决定我们无穷继起者的运命。在此时此刻，片断的、抽象的、虚假的来估计生活，这生活也必然是单薄、鄙劣，至少也是空虚的——此时此刻既不能留，才情也好，狂兽也好，刹那已逝，还有什么？

美国的孩子们已听不到鬼的故事了。他们花一毛钱到 Drugstore 里去买 Superman 看。“超人”是个足智多谋的万能博士，他能克服一切困难。我们且不论“超人”

教育出来会成什么样的儿童，有一点值得我们在这里注意的，超人并不是鬼。超人代表现实的能力，或是未来的可能，而鬼却象征了对于过去累积的服膺和敬畏。派克老太太尽管为了要减少东西的距离，特地领我去看客厅角里褪了色的相片，可是雷家的小弟弟却告诉了我美国文化重心，这重心是在超人不在鬼。

鬼怎能在美国这种都市里立足？人像潮水一般地流动，不要提人和人，就是人和地，也不会发生死不了的联系。两代之间的隔离我在上章里已提到过。孩子们长大了不需要父母的荫庇是一件客观存在的社会事实，这事实反映在家庭里的是孩子们的要求独立。有一次我在一位朋友家里闲谈，他的女儿陪着我们坐，连接不断的抽烟。父亲偶然说了一句，这样抽法是没有意思的，可是这位女儿毫不在意，后来她和我说她已经十八岁了，老头子管不着，她抽她自己的烟。十八岁是女孩子的重要年限；过了这年限，父母可以不供养她，可是也不能再管她了。

我还知道一位年老的教授，儿子在同一大学里教书，可是分开住，分开住犹可说，连望也不常去望。在战时家里已用不着佣人，那位教授的太太，龙钟老态，两只抖动的手，捧着咖啡出来飨客，使我们心里发酸。

我在哈佛宾馆里住的时候，每天早上总有一位白发老翁同桌，他一个人住在楼上，看上去已经不久人世，我每次见他，总为他抱不平。他一定是个有名的教授，教育了多少人，为社会尽了这许多力。年老方衰，就被世界抛在这楼上，没有亲人扶持，更说不到承欢，简直是等死。有一天，他轻轻地对侍女说："明天我不知能不能下楼了。"我后来问她："这位教授的家在哪里。"她不知怎样作答，只摇了一摇头。在他们，儿女长大了有自己的家，他们的家里父母只是客人。

家庭之外，社会的接触固然是极多，可是，每个人都在约会里来往。在我办公桌上有一本案头日历，每十五分钟一格，每一格是预备填一个人名的。公事之外，各色各样的会名目就不少，可是你若到这种会里去，你就会明白，这不过是交际；和这人谈几句，和那人谈几句，连名字都不容易记得。我并不敢说美国人都是这样过日子的。有一次我曾问过一位比较熟的朋友，问他有多少朋友可以随时到他家去而不必预先约定的？他屈指一数，不到一手。事实上，没有事，没有会，他们在家的时候多，在家里他们是不太愿意客人去打扰的，这至少是我朋友劝我不要老是去串门的话。

在这种人和人的联系中，死后还会见鬼的自然很少了。而且，他们行动这样方便，接触的人数量上这样多，很少会像我和祖母的关系一般，在同一情境中久常的和反复的相互生活，使这些情境成为似乎是不可变的自然秩序。流动，流动把人和人的联系冲淡了，鬼也消灭了。

以住的联系说罢，那又是我在美国不舒服的地方。我的不舒服并不是床褥设备所引起的；这些我相信没有比美国更舒服的了。我的不舒服是我这一年东跑西走，足迹所到地方不算少，可是我坐定想一想，好像一个地方都没有到过，因为我从没有在一个地方留恋过，到处是一般的，所差的不过是房子高低一些。每个大城市差不多是一个样子的，至少对于旅客是没有多大分别：你下了车，有带着到处相同帽子的黑人帮你搬行李（你可以碰不着这种人，可是决碰不着别种人），你坐入到处相同的汽车里，送你到到处相同的旅馆里，不论什么旅馆，你只要在任何地方曾住过一次，你绝不会再成外行。

旅馆的房间都是相若的，大小是有的，可是缺不了一间洗澡房、吃冰水的龙头、席梦思的软褥、考究的信封信笺。到处既是没有什么差别，你也永远不会对于任何一个旅馆留下特有的印象了。

旅馆并不是例外，美国都市里的住宅根本是旅馆的性质。搬家并不比开旅馆为困难，一个电话什么都解决了。搬来搬去，房子还是差不多。我在纽约曾经想自己租一落房子住，所以一连看了有十几家有招租的空屋，最后我和伴我去的朋友说："何必一家一家去看呢？抽个签不是更方便么？"搬来搬去，使人对于住宅的联系冲淡了。

我每次回家乡，总是要去看看幼年时节所住的老屋。我会对于那棵梧桐，那棵枇杷，问很多话。梧桐上还有我刻的字。就是在伦敦，搬家没有那样勤，我到现在还想起下栖和莉芹路的住宅，我在美国听说下栖的老屋被炸了，还为此不舒服了几天。在美国至少以我自己说是从来没有过这种会使我关切的住宅。

我也住不惯那种灯光洞明，一室了然的房间。在这种房间里住着，你会发生一种虚伪的自信，觉得这是世界的一切，世界只是这已经明明白白摆在目前的一切。我似乎觉得西方人士对于那一部分未知的宇宙所有的态度和东方人很有些不同。他们觉得这部分是静止的，等候人去开掘的矿产一般，不但不可畏，而且是他们将来更好的生活的资源。他们很有把握。我们东方人多少对于这未知之数有点敬畏；敬畏天命，使我们安分，使我们自知人的极限，而注目于人力所可及之处。我虽不敢说这种态度是养成于我们幼年时代的住处形态，可是我却相信我自己早年对于大厨房、后花园的渺茫之感，对于纱窗的恐惧之感，一直到现在没有消灭，不过是扩大了一些，成为我对宇宙对世界的看法罢了。若是在我们传统的中国里很多人和我具有相同经验的话，则这种经验自是构成我们传统做人对事的态度的基本要素。

没有鬼的世界里，人生是轻松的。他们的眼睛可以一直望着前面。可是我总觉得他缺一点东西，使我不愿羡慕他们的生活。

拾贰　男女之间

读者看了以上的两章也许会有一种印象：美国人民似乎是冷酷得不近人情的。他们可以不侍奉年老的父母，他们往来的人大多是泛泛之交。我也听见有人说过，美国朋友过眼就忘，薄情得很。这印象其实并不正确的。人情是自然的，除了像我们传统的社会里，有系统的抹杀人性，遏制我们感情流露外，社会上总是预备下一条发展感情的康庄大道。发展的对象可以不同，任其奔放以完成生活则是一样的。西洋文明中，尤其是美国，在感情生活上的发展，实在使我们望尘莫及。

让我在这里再补充一点：我们对于传统，对于父母，所具的感情，敬畏多于敬爱。密切的联系是社会所加之于我们的，并不常是出于自发的。而且亲子之间尽管怎样相爱，情感的内容有它一定的限度，决不能引导到两性之爱的范围里去。以亲子关系作为发展感情基础的社会，性爱时常会被摒弃。我虽不完全承认一个人的感情归根是性的表示，其他都不过是推演出来派生的支流（像心理分析学派所说的，亲子之爱本来也是两性之爱，因为受到社会的限制，之转向而寻求男女之爱），但是两性之间的感情确是最原始和最自然。我们社会中摒弃性爱对于每个人感情生活健全发展必然有很深刻的影响。

若是我们觉得美国人对于两代之间社会关联没有我们的合理，使年老的人们失其所养，我们要知道我们为了要偏重亲子关系，却在另一方面损失了我们两性间的合理关联，甚至影响到我们感情生活的健全发展。他们因为没有亲子关系的拖累，在两性之间可以充分的发展他们自然流露的感情。

对于别的文化最不容易了解的是他们的感情生活。我们可以很快学会开汽车。可是我们就不容易了解他们对于时间、机械等感情的内容；结果，我们买了他们的汽车来兜风，我们的司机可以关了油门下坡，把车子翻在山沟里。同样的，我们可以很快学会擦口红，在中国电影中，可以有接吻的镜头，可是我很怀疑在中国的男女间是否有人真的了解西洋式的恋爱。这必然是学习西洋文化的最后，也是最艰难的一课，也许只有真的全盘西化之后，这一课才学得会。我在这方面可以说全盘是中国传统里养成的人，说老实话，我实在无法体会到西洋人恋爱时的情绪。自己没有这种经验也就永远不能体会别人的这种感觉；在中国，西洋式的恋爱，在我看来，近于不可能的；因之，我们要讲这个问题，自然也十分困难了。

让我先从社会对于感情的看法说起。若说一句笼统的话，西洋人见了别人的高兴也会高兴，而我们呢，别人的高兴常会使我们自己不高兴。你只要看，人死了我们可以放声痛哭，不哭会受人背地里说话；可是久别重逢的夫妇，在人前却不能做出一点高兴的样子出来，不然，人家会批评你肉麻、不庄重、轻薄。在西洋，却刚刚相反。你高兴时，尽管尽情流露，在车站上，可以和情人拥抱、接吻；熟人会鼓励你。可是，在你悲痛的时候，你却得忍得住眼泪。在人前号啕大哭是没有修养的表示。若要解释这点东西文化的分别，我又不能不归源于农业社会和工业社会的基本区别了。农业社会中，尤其是像我们这种老大的农业国中，机会稀少，大家在极低的生活程度上过日子，向有限的资源竞争，别人的得到常是自己的损失，嫉妒是我们基本的精神。幸灾乐祸、不愿成人之美是我们的传统。我们可以怜惜别人的苦难，其实这并不是同情而是一种自觉安全的慰藉。只有在别人的成功会增加自己机会的社会中，人才能为别人的高兴而高兴。

在这种社会的歧视之下，我们逐渐变得“庄重”了，感情是我们内脏的活动，像我们四肢的活动一般，若是从小就不给他操练，是会麻木不仁的。在床上病了一个月，走路都觉得不自在。庄重的结果，除了眼泪（中国人一说到感情似乎缺不了眼泪），我们的感情确是麻木得利害。我们不易激动，相骂和咒嘴代替了打架；我们不会欢呼，拍手时都不自然，冷讥和热讽代替了雀跃。我们是这样实际：利害、权衡、过虑、斤斤自得，使我们失去了感情畅泄时的满足和爽快。因之，我们对于感情成了外行。

我们不容易明白爱字，因为爱的前题是无我忘己。

利害得失是爱的反面。母爱不在预备老年时有个可倚靠的子女，不在投资，而是把自己变成别人，把这一代变成下一代。从客观的立场来说，这无疑的是损己益人。在母亲不断的消耗中才能有孩子的生长。可是从为母者看来却是自我的充实，和一己的扩大。两性间的爱在性质上是一样的。可是在我们这文化中，两性之间的结合，除了本能的冲动外，被占有欲所支配时，爱找不到它的地位。在传统社会里婚姻是合两家之好的外交结合，在农村里，娶媳妇是雇一个不付工资的女工。夫妇相敬如宾，使他们之间永远隔着一层亲密的障碍。若是在我们中有一些近于两性感情结合的却在那些被社会所轻视的妓院里，可是这种建筑在买卖关系之上的感情，真挚的流露总属例外。何况爱和占有是互相排斥的，在男女不平等、没有相等的人格、不互相尊重的关系中，现代西洋式的爱是无从发生的。晚近恋爱这个名字是传入我们的中国了。表示恋爱的行为也多少已通行在我们的马路上。可是我们传统的重视实用和占有的欲望却依旧阻碍着我们获得恋爱的真义。

西洋朋友若向我们自述他们恋爱的经历，我们会像看电影一般，充满着“天方夜谭”式的新奇。譬如有一次有一位美国来中国的朋友和中国学生谈起西洋恋爱的浪漫精神。他自述他在学校里有一次打电话给一位朋友，把号目打错了。在对方出现了一个极动人的声音。这位不相识的女郎接了话，将错就错的谈了一阵，就这样两人相熟，后来相爱，竟结了婚。同学中听了，在新奇之感中发问：“这种婚姻结果是圆满的么？”这问题表示着那在现在学校里读书的青年男女中，在和异性接触时，心中总是存着：“这是我婚姻的对象么？和这人结婚，生活会美满的么？”两性的交际中，隐隐约约的总横着这一个实际的考虑。我是从这种经验里长出来的人，自然明白这种考虑的背景。社交是求偶，以往我们有父母为我们做主，我们可以不必管自己的终身大事；现在父兄不再顾问了，婚姻自由是到手了。可是我们传统的公式，从结婚到相爱（不是从相爱到结婚）还是没有离开我们。即使我们自己可以跳出这公式，社会上还是这样看我们。若是你有了一个异性的朋友，感情相当好，人家必然，善意的恶意的，假定对方是你配偶的对象了。感情拖着严重的社会责任，在没有把握之前，自不能轻易流露了。婚姻是一件终身大事，那是不错的，我也相信没有一个健全的社会对这重大的事不加以慎重规划的。若是两性的往来中，永远横着这个人生大事的门闩，怎能自然的流畅？

中国人没有恋爱的经验可以在“浪漫”一字的涵义中看出来。浪漫是一个译音，原字在英文中是一个代表着某一时代的特殊精神。他是和古典两字相对，指着人性的流露。用到两性的关系时，是一种不求后果，只讲爱慕的骑士精神。浪漫本身是超出于婚姻的，可是并不妨碍婚姻。这是一种情痴式的“意淫”，是宝玉所说沈湎的境界。这字一到中国，因为它是超越婚姻，所以立刻被视作一种法外的结合，一种不负责的乱交，和贞节相反。我并不想为这字的不幸抱不平，它竟从高洁降入低贱；可是橘子过了淮水变成苦枳，并不是橘子的不幸，而是淮北的人的不幸，他们的泥土里长不出甜橘。没有尊重女性、欣赏感情本身的人怎能领悟浪漫两字的涵义！

美国的电影喜欢用一见倾心的题材来编写剧本。从电影上去认识美国固然不是正道，得到的误会多于领悟。因为剧本是像漫画，时常故意选择一些不平常的题材加以渲染，使在常态里生活的人，感觉到兴味。这些不平常的题材也时常就是他们文化的特点，我们固然不应当因此推断美国的男女都是热情得一切不加过虑；为世俗的目的而发生的“方便婚姻”在美国有的是。可是这并不是他们认为好的方式。理想的婚姻是恋爱的结果；在恋爱的时候连婚姻都不是考虑的问题。

有一次我和一位年纪已经相当大的太太讲起这问题，她说：“在恋爱的时间，人真是会狂的。”我不明白这狂字，可是她也没有法子形容这境界，又只加上了一句我更不了解的按语：“世界上的一切好像都不在念，连自己也在内，只有他。”我明白了我不能领悟这狂字的原因了：我没有狂过，我希望我不是一个中国人民的代表，也许没有狂过是因我个人感情上的缺点，可是我还没有看见过自己的朋友中有过这类似于狂的现象，所以我也不敢说，不会狂不是中国普通的“病态”。

我并不愿意奖励我们的青年“能狂”，这不是可以做作的；做作出来的免不了肉麻。这也不是一个人可以求得的境界。我已说过，在一个讲实际的社会里，婚姻的终身大事横住在青年男女的心头，感情自然的流露是不易发生的。当然，婚姻本不是感情的结束，夫妇的爱自有它的境界，可是夫妇的关系总究是一种责任，是一件成家的事业，不能，或不易，成为无所为而为的感情生活。像《浮生六记》的作者，我们固然可以羡慕他们夫妇之间感情生活的丰富，可是这种浪漫性的感情似乎对于成家的事业上并没有太大的帮忙；尤其在我们这种社会里，夫妇并不是一个被人认可的独立的生活单位，两性之间结合太深，不免会使他们不易和共同生活单位中的其他分子互相调适。

我们得知道两性感情发展的自由是现代的特色。在西洋，中古世纪下层的农奴中，婚姻是封主所支配的，谈不到自由。即在上层社会中，即在五十多年前，像托尔斯泰在《战争与和平》中所描写的：婚姻也是“合两家之好”的外交手段。没有嫁妆的女孩子，像苏联一般，也是不配和人讲恋爱的。在婚姻决定之前，西洋的男女有一点择偶的自由，在这有限的自由，所能发展的感情也有它的范围。歌德这类的人究竟是时代的例外。

美国早年也是承袭着西洋一般的传统，更因为早年殖民中清教徒的势力宏厚，在新英伦一带，对于两性生活的限制很严。一直要到工业发生，都市兴起，女子的职业发达之后，两性的交际才能逐渐不成为择偶的手段。我虽不是女子，可是我还能想象，若是自己一生的安全全部系于丈夫身上，我怎能不对于择偶小心谨慎，惟恐失足呢？若是女子自己可以有职业，经济上可以独立，事业上可以自求发展的话，她对于丈夫的要求也必然可以减低，这时，脾气的相合、理想的相同、感情的和洽才能成为婚姻的基本条件；在这时，男女的交际也可以不必横有一个婚姻的门闩；可以先讲感情，不必在感情之外过虑到对方若成了配偶之后的后果了。

我在纽约有一位相熟的朋友，她在一个学术机关里做事，我起初并没有知道她是位太太。有一次到她家去，她介绍我见她的丈夫。他是个商人。他们感情极好，我当时就想，若是这位太太自己没有可以独立发展的事业和兴趣，一定要靠她丈夫为她去开辟一个社交的范围，她似乎是不容易和她事业兴趣根本不同的丈夫相处得这样好。这也回答了那天晚上那位同学提出的问题："这种婚姻结果是圆满的么？”

我们若在现存的中国社会中，学时髦，在电话里认识了一位朋友，讲起恋爱来，结了婚，结果不圆满的机会必然很大。不圆满的原因并不是我们的感情不易持久，而是使感情能持久的条件不够。一个圆满的婚姻在我们所需的条件太多。婚姻决定了我们女性的整个人生，她们怎能让感情奔放，让自己的一生，以及她们儿女的一生，交给运命和机会？若是有人说，中国的女子不懂得，或不需要感情上的满足，若容许我替她们辩护的话，这是她们的不得已，怪不得她们。

中国的贫乏使我们不能不注意实利，不注意实利的人会在颠沛流离里淘汰。感情生活多少是生活上的奢侈品。婚姻成为解决生活的手段时，哪里还能谈得到恋爱？这是一件事实，即使我不愿承认，也怎样能逃避呢？我们若羡慕别人生活丰富，我们应该努力的方向，也许还不在学人家的狂，而得造下一个可以狂的环境要紧。

我在这时想起了国内很多要求解放的女性，她们在法律上要求平权，她们多少是成功了，可是她们解放了没有？她们要求女子职业，中国社会在这方面比起任何国家来漂亮得多，女子在职业上所受的歧视并不能算多。可是女同胞们的处境却并不见得改善得太多。原因在什么地方呢？依我看来，我们的女同胞若是羡慕美国女子的生活，她们先得把中国造成一个美国。这话是这样说的：一个女子变不成男子，那是天意；她要生育，她得抚育孩子，于是她抛离不了家庭。女子要像男子一般往来自由，因之也就不容易。我并不反对有一天男女换一个岗位，男的在家里，女的出去做事；可是要做到这一个掉换，我们在生理上还得起一次革命，在目前说还是不可能的。女子要解放，要能在社会上发展她们自己的兴趣和事业，这个家必需不必费她全部的精力去照顾才成。我们传统方式中固然有把家事全部托付老妈子，太太们在外交际、打马将的办法。可是这办法却又并不能满足认真的太太们。在这次战时，最受苦的该是太太们了，她们为了家，什么兴趣、事业都谈不到，整天洗衣煮饭。凡是太太不勤苦耐劳的，先生们的事业也就发生影响。这个试验中，充分表明了女子的贡献，也说明女子的苦处。什么可以解放女子呢？决不是男子的分劳可以做到。最后的解放者是科学，是工业。我在美国时常到朋友家去帮着太太们煮饭，美国在战时家里的帮工根本就请不到了。可是煮饭是这样容易：菜蔬鱼肉、酱醋油盐，只要用电话去购订，一朝送到你家里；水就在灶上，火只要扭动油门，或是电门。二三十分钟，一家人的午餐已经齐备，最麻烦的只有洗碗，普通人家还不常用洗碗机。

洗衣扫地，有着灵快的机器。一个家，夫妇两人每天大家费两个小时即可井井有条了。家务交给了机器，女子才能真的解放出来；那时，要谈平等，要谈感情生活，才是顺水推舟，水到渠成。我们在法律上，在老妈子上去求女性的解放，可能得到的解放能有多少人，能有多少程度？

女子不能在家务中解放出来，她们的婚姻也必然会是一件决定终身安全的大事；婚姻既这样严重，谁能不小心翼翼的在择配时考虑到感情之外的条件？我们的公式是先结婚，再讲爱，能爱固然好，不能爱也是活该；为了防止活该起见，还是爽性把爱这个字取消了安全，夫妇相敬如宾，大家在家务世俗中做个合作的同工。这样，我们的感情生活麻木了，看见外国人男女双双在街上挽手走路，自己都会脸红。我们妒忌他们，这又有什么用？现在的中国还不是美国！

拾叁　眼睛望着上帝

若我们不容易体会美国人男女间的感情，我们当更不容易了解他们对于上帝的感情了。在我们生活中至少还有男女，我们生理上和他们没有多大差别，即使说我们没有他们发展恋爱情感的机会，至少我们还能想象一下；可是在宗教上，我们实在没有和他们相似的上帝；因之，讲到这方面，我们未免更困难了。可是我们若要了解美国人，不知道他们男女之间的关系，并没有多大重要，若不明白他们的宗教精神，我们根本就捉摸不到他们重要决定的脉络。

从表面上看，美国人在目前对于做礼拜这件事似乎已经不很认真了。我遇着美国朋友总问他们星期日到不到教堂里去，大多的回答是："偶然去去；有朋友结婚，有熟人做丧事，才去走走。"也许因为我早年所接触的外国人都是些传教士，所以无意中总觉得外国人和宗教是分不开的，一到外国看见他们连礼拜都不很做的情形，未免会有一点奇怪，因而觉得以前的观念是错了。其实，宗教的信仰并不一定要在口头上或是在仪式里表现出来的。从口头或仪式上去判断一个人的信仰，则最虔诚的基督徒应当是我们内地那些吃教的师母们了。我们若说基督教是西洋文化中重要的一个柱石，决不是因为他们教堂多，赞美诗唱得好听，祈祷文背得流利。主要的是他们具有一种基督所象征的精神。

我在上一节讲恋爱时，曾想强调感情生活是一种无我忘己的生活。爱人爱物就在把一己的范围推广出去。在非我的外界认取一个比自己更有价值的实在，使我们可以为这对象生，为这对象死。正如那位太太所说的："世界上的一切好像都不在念，连自己也在内，只有他。"这个他字可以代入任何东西，若是一个异性的话，就是恋爱，若是一个完美的理想、一个上帝，就是宗教。

我时常自觉我们中国实利的注重，非但使我们的感情生活贫乏得可怜，除了母爱之外（很多把孩子交给奶妈去抚育的母亲，有没有这最基本的爱，还是很成问题），人和人之间似乎全被利害所支配；而且使我们成了一个最缺乏宗教的民族。我们并不是没有鬼神的信仰，我们对鬼神有的是恐惧，恐惧之余，我们敲诈、欺骗他们，为的是风调雨顺，为的是免灾逃祸，脱离不了我们生活上的实利。我们的祭祀是请客、疏通、贿赂，我们的祈祷是许愿、哀乞。鬼神在我们是权力，不是理想；是财源，不是公道。我们尽管每一个村角有一个土地，每一个县城有一个城隍，我们可是没有宗教。自私心、侥幸心、发财心上哪里会承担得起代表着爱的上帝。

这里我们应当看得明白：为己为人中有一个界限的。耶稣基督所象征的是一个无限的舍己为人，他同情世界和人生的不完全，他把自己供奉出来，想填补这缺憾。他要求上帝把一切罪恶担在他的身上。他为残杀他的人求饶赦，不讲报复，因为他把自己扩大到了整个人类，甚至包括残杀他的人。在宗教的精神里才有牺牲这个字眼。一个跪在送子观音前磕头的妇人，她的心头里绝不会有牺牲这两个字。她的行为无异于在街头上做买卖，香烛和磕头是明冥之间的通货。

美国早年殖民中就有大批为了要自由信仰而渡海到

这荒凉的新大陆来的。所谓自由信仰就是要求摆脱基督教在欧洲大陆和权力相结合成的教会。他们并不是要摆脱宗教，而是要在自由的空气中充分发展他们所认识的基督精神。他们厌恶借宗教之名而形成统治人的权力和仪式。所以在清教徒中，仪式是简单到只成了一个普通的集会。我自己没有参加过这种没有仪式的礼拜，可是我到过美国所特有的 Congregational 教派的礼拜堂。他们的礼拜，除了一些音乐之外，实在只是一个演讲会。那天，演讲的题目是《国际主义》。宗教在美国已经有大部分从仪式中解放出来，而且他们已经把基督教的精神扩大到了人生的各方面，不再囿于一部有限的《圣经》里了。

有一次有一位到过中国的美国朋友和我说：他最看不惯的是中国的虐待家畜。他曾看见过赶马车的人，在他的马已经滑倒在路上时，还是拼命用鞭子打他的马。这是在我们任何地方都看不到的事实。赶马人从没有感觉到马也会痛的，至少在他，马的痛不痛和他是无关的。其实这种不愿扩大自己感觉的根性，何尝只限于人兽之门。尽管孟子有远庖厨的说法，可是在我们的生活中，何尝会因别人的痛苦而发生不舒服的同情呢？我们乡下凡是逢到有枪毙或甚至杀头的盛典时，刑场上会挤满了人看热闹，我虽不知道看热闹得到些什么满足，可是在别人的头落地的时候，从来没有人自己摸摸自己的头。人己之间有着这样大的距离，真可使人惊骇。

基督精神本是和我们“莫管他人屋上霜”的古训刚刚相反。你想别人坏，若坏不到你的身上，你管他干吗？这话在我们听来是似乎极有道理。若是耶稣基督也存了这念头，他也决不至于被钉死在十字架上了。他所以死，并不是恨任何人，而是恨一个概然的恶。这一点我们又是十分隔膜的。我们可以爱一个人，或是恨一个人，可是很少爱一个概然的对象，或是恨一个概然的对象。同样一种行为，在某人身上我们可以恨，可是若在另一人身上，我们就可以不恨，甚至于爱。我们可以骂某人作弊，可是若是自己父亲作弊，我们还是向他要作弊的钱，不再恨这种行为了，轮到自己作弊时，我们甚至于觉得自己能干和聪明。这就表示了我们对于作弊本身并没有爱恨。换一句话，我们没有概然的好恶。这是以自己做中心来衡定价值的方式，只有利害，没有是非，那也就没有宗教。

我们时常会觉得美国人喜欢管闲事，而且老是同情于受罪的under dog，即在国际关系上，他们也时常表现这种锄强扶弱的脾气。或者有人会说孤立主义，以及厌恶干涉等不是和这精神明明相反的么？在我看来却并不相反。孤立主义是他们觉得好心不得好报之后的反动。这是热心人招累是非之后自怨自艾的心理。若是他们一贯的以一己利益为前提，有利则动，无利则罢，这种反感也就无从发生。有人可以说，美国的几次参战，何尝不是为了保全自己？这话是对的，在客观立场上看去，美国自然说不上为他牺牲，可是我们要注意的是推动着美国人民的主观看法。在还没有碰到敌人时，就挺身而起，甚至因而招致狙击，在他们可以相信是一种义举。而且，我们值得注意的，每次外交或是战争的行动，政府方面必须揣出一些抽象的大题目来才能获得人民的拥护，这在有些国家是不必的。我不太相信，赤裸裸的为了扩大领土，伸张势力的自私的名目下，美国人民是曾批准政府的行动的。

美国和中国一样的不完全，若说平等，美国种族的偏见造下了黑白的悬殊；若说自由，美国独占经济的发展划下了个人发展的界限。可是美国和别国是不同的，他们并不在价值上认可这些不完全。美国人可以辩护他们不给印度以自由，即是很开明的英国朋友也不肯承认英国在印度的设施是一件愚蠢的事。可是你在美国若提起了黑白的不平等，你不容易碰着有人理直气壮向你说黑白是不应平等的，更没有人会因黑白问题而根本否认人类平等的理想。看在美国所逢着的朋友差不多一致的认为这是美国的耻辱，是美国的不幸。在维持独占利益的人，他们所用的理由，还是自由两字。若是有人公开的说，像希特勒一般，自由是要不得的，他绝不会在美国获得同情的。美国人愿意承认自己不完全，可是大体上，很少以理想去迁就现实。这一点，我愿意归于他们基本的宗教精神。

我所能了解的基督精神就在承认不完全而不放弃完全的理想。在没有上帝的人，即是自己知道有欠缺，他还觉得可以瞒得过人的，这就是所谓“面子”。你想，假使你眼睛望着上帝，一个全能的理想来唤召你，你自然会觉得掩饰弱点是无聊，因为上帝是瞒不了的。人既有弱点，你承认如是，也就不会因别人的不完全面耻笑人家。同情中面子问题也消失了。我们古话中有“人比人，气死人”。人上面有了一个大家不能及的理想，人和人相比时，就会只有勉励和观摩，何从气死？

孔子说一个富有的人应当知道怎样把自己所有的东西施舍给人家。这一点我们中国人会说，却不会做。中国是穷，那是就平均数来说的。若要找富人的话，我们也并不是没有。我们的富人们把围墙筑得高高，大门关得紧紧，金银向地窖里藏，或是向南美洲送。在他们心理上，不论这些钱财是用什么手段得来的，不论这些钱财搜刮到了一人一家手里之后，别人会有什么影响，他总是觉得这是自己运道好，别人苦是活该。

世界上财富的分配，在承认私有财产的时候，总是不会平均的。若是我们根本放弃平均财富的理想，对于不平均的现状必然会视为当然。运道好的人自不会顾惜到运道坏的人了。我在上面讲到自由竞争的个人主义时已说过美国有这种潜伏的信念。可是这种信念并没有毫无约束的发展，因为他们还有更基本的宗教精神在阻碍这不负责任的搜刮财富。人类都是上帝的儿女，是哲斐孙所说“全人类生来都平等，他们都有天赋不可夺的权利”这句话的底子。这个信仰使他们不能承认财富集中的事实为当然。不但比较穷苦的人觉得有权利要求更平等的分配，即是富人们心中对于自己的财产也会发生不大自然的感觉。我并不想把美国恭维得过分，他们也是人，生活的优裕和安全是大家一样喜欢的，但是在得到了优裕和安全的生活之后，看到别人不优裕和没有安全时，有些人是可以漠然的，有些人却会感觉到不舒服。在有宗教精神的社会中很容易发生第二种人。我们可以说这些人是猫哭老鼠假慈悲，可是这慈悲，不论是真是假，确会使这个财富不平均的秩序不能凝固，不能僵化。若是英美的社会可以不必经过流血革命也能转变的话，原因就在拥有特权的人的心中，有这假慈悲。世界上有多少重要的事不是弄假成真的？

在中国你若是有机会向有钱的人去捐钱办学校或其他公益事业时，你得准备受白眼，好像欠债的人去讨情。这在美国可说是不同了。他们的富人会自动把大宗款子放出来，请了人来经管专门去寻社会事业来做。有人说，这是富人们逃脱捐税的方法，因为美国有法律，这种做社会事业的基金是不征税的。这当然是一个动机，可是他们不同样可以像我们的富人们一般，名义上捐出一笔学款，而自己来经营，侵吞更多的利益么？他们不是也可以为自己造一个显赫的坟墓，留传后世？他们不是也可以把这笔钱用另外一个名字到南美洲去买橡树园？他们若完全为自私的动机，成立社会事业的基金，似乎是太蠢了。若说是为名，那我没有话说，一个人能顾全社会上的名誉，历史上的记录，他的自私是值得我们称颂的了。

美国的大学，最有成绩的几乎全是私立的，就是由富人们捐出来的。美国的很多研究机关是受着大小基金的支持。美国的医院又大多是私人兴办的。美国社会工作的发达表示了富人们有了钱心里不太舒服的情绪。我也常说，社会工作、救济事业，并不是解决社会问题的基本办法，这些都是在百孔千疮的社会中，用了人道主义的名目去修漏补隙，结果反而维持这造成痛苦的社会秩序。可是，社会工作、救济事业，至少已经做到了“不承认”主义的初步，因为他们是并不在歌颂已有秩序，给予固定的力量。

理想并不是在天空里盖宝殿，而是一种不肯安于现状的动力。理想固然不常实现，可是它改变了现状，使现状不能生根。基督精神对于西方文化最大的贡献就在把一个完善不缺的理想，广被深入到每一个老百姓的心中。在这种不满于现状，企求更合乎理想的新秩序的心理中，发生了所谓“进步”的观念。进步，进步，他们的眼睛向着未来，这是从宗教精神中推衍出来的。科学兑现了这企求，坚强这信念。他们否认或轻视传统是这样形成的。

回到我在第四章所引在慰梅太太客厅里的辩论。我这种受着中国传统影响极深的人，眼睛里没有上帝，对于未来没有保证，自然不能不在过去的历史中去寻找安身立命的凭据。我不能梦想一个地上的天堂，这世界既是人的暂时寄居的地方，六十年的岁月，并不长，耐心一些，迁就一些，活过了也就了了。我怕不惮烦，我对于不满意的现实想逃避，逃避不了时，讽刺一下文化，厌恶这人造的累赘，这似乎是有着一贯的联串，儒家和老庄可以在中国人中并行不悖，偶然，在痛苦的时候呼几声“天呀！”，神鬼不是我们得到鼓励的源泉，我们没有宗教。

我们现在对于西洋生活的享受开始羡慕了，可是，让我们扪心自问，我们对于科学不还是像我们对于鬼神一般，要求的是一些实利，对付这一生的手段？我看着西洋的科学家，总觉得科学是他们的上帝，是一个未来的保证，一个要实现的理想。科学并不是发生于实利的期望，而是起于求真的热忱。科学固然已经改善了人的生活，这可说是副产。在我们骨子里有没有这种求真的热忱？我不敢说。若是西学只是为用，我怕的是我们永远不会使科学成为我们社会进步的动力。

科学和民主造下了现代西洋文化。这是一辆单车，两个轮子的配合还需要一个看上去似乎不动的三角杆。这三角杆就是基督精神。基督精神里包涵着人类的同情，和未来的保证。这在感情上是一个爱字，在社会上是推己及人四字，在生活上是理想二字。我不是基督徒，我眼睛并不望着上帝，因之，我觉得更有资格来说这番话。我并不是为基督教作义务宣传；我也不相信要得到爱心，要能推己及人。要有理想，非做基督徒不成；我更不相信基督精神只在教堂里。可是，我看到了地球那一面所表现出人生的另一道路，不能不深刻的自剖，觉得我们所缺的还是这维持着幸福单车的三角杆。最难得到的也是这东西。

美国并不是一个天堂，不是一个理想的世界，可是他们是一个有天堂的人间，一个有理想的民族。因为他们眼睛望着上帝，他们有勇气承认自己的缺点，肯不惮其烦的想在人间创造天堂。这一点，我自信，并没有夸大。

美国是在变，他们要求不断的进步，所以我在这里所说的许多话，可以说已经是过去的事。我在以下几章中想指出美国人民怎样去矫正已往的不完全，怎样去追求更自由、更平等的理想。我们若是羡慕他们，值得我们羡慕的，决不是他们已有的一切，而是他们创造的过程，和推动他们去创造的劲。还有，我们有值得向他们学习的，我想没有别的，是他们所具的理想，一个基督所象征的爱的世界，同情的人间！

拾肆　民主的沉睡

我在“幸福单车的脱节”里曾说，科学所激起的工业在美国发展得太快，以致形成经济权力。人民对于这经济权力无法控制，因为他们传统的精神是反对政治去干涉经济的。政治不干涉经济，等经济权力坐大了，反而过来干涉政治了。美国人民逐渐感到在经济权力控制下，不能获得充分的自由和平等。因之，他们要求改革了。

美国财阀对于政治的支配是无从否认的。有一本著名的书名字叫《美国的六十富豪》，描写这些财阀怎样去左右美国政治。共和党和民主党都受财阀的津贴。每次总统竞选时，他们总在后台操纵。我们说美国在过去是财阀政治，并不是指美国的财阀是像某些我们熟悉的国家的财阀一般一定要亲自出马来独占政府。他们并不是以做官来发财的，所以不需占据政府。其实像那种以官作商，搜刮民脂来发财的人，本来说不上财阀政治，这不过是合法的劫掠而已。现代民主国家决不致发生这种情形的。所谓财阀政治不过是政府庇护财阀的利益罢了。财阀们并不热心于做官，他们花钱来帮政客们上台，然后要政客们保护他们的利益。所以他们并不维持一定的政党，他们很可以同时津贴不同的党。只要受津贴的人答允他们的条件。在财阀看来这也不过是一种交易。交易是要两厢情愿，双方有利的。财阀和政客勾结出卖了平民的利益。

我说美国过去是财阀政治也不正是从比较财阀和平民的政治力量而说的。在罗斯福新政之前的美国政治是偏于庇护资本家的。若说得更正确一点，美国传统的政治，尤其是在一八九〇年之后到罗斯福新政为止的一段时间中，是偏于财阀政治，我用这“偏”字是要指出平民政治的力量并不是完全不存在的意思。

为什么美国过去会偏于财阀政治呢？这是两种因素凑合而成的。一方面是美国经济集中的局面在十九世纪的最后十年中已经确立。这一点我在第五章中已经说明。

经济集中成熟期间，同时发生的是美国拓殖的碰到了限度。美国广大的原野展开了拓殖者的机会，所以在工业里因独占而减少了普通人发展的机会时，西方的荒地还是在吸收要求发展机会的平民，因之，独占的压力并不太严重，并不易很快的引起平民的反感。加上传统经济自由主义还是深入人心，所以独占趋势可以顺利开展。等到拓殖碰到了限度时，独占势力封闭了经济机会的事实才被一些平民所感觉到。这种感觉反映在二十世纪初年的劳工运动。独占势力遭遇到平民的反感时才需要利用政治势力求庇护。美国政治在财阀的需要中，担负起了财阀保护者的责任。

若是当时平民的政治意识和财阀一样的发达，美国财阀政治能否确立尚是问题。所以我觉得财阀政治的确立，平民自己要负责的。美国自立国之始就承认人民是政治权力最终的所有者。政府里一切做事的人，不是由人民直接选举，就是由人民选举出来的人委派的，所以政府是向人民负责的。在人民里面拿薪水，拿工资过活的，以及小农和小商人，就是我在这里所说的平民，占着绝对的大多数。在数目上财阀和平民相比真是相差太远了。财阀，大小都在内，包括一切靠财产生息来生活的人，大概也占不到百分之一。即使我们再把收入较高的人算入财阀集团里去，还是占极少的数目。民主政治是以选举来决定政策的，是大多数的统治，而且每一个公民一张票，在理论上，穷人富人是没有差别的。所以假若平民认真投票，用选举票来保障自己利益的话，财阀是决没有机会去控制政治的。财阀所以能控制政治，那是因为平民自己放弃他们控制政治的机会。有投票权的最大多数还是平民，可是他们不是弃权，就是很多有意的和无意的依了财阀的主意去投票。

我们在局外只注意美国选举资格的逐渐减低，选民逐渐加多，觉得美国的政治是在逐渐平民化。其实有选举权是一件事，能不能选举，愿不愿选举，是一件事。譬如美国宪法上明明规定不能以种族来限制人民的权利。我们也找不到任何一州有禁止黑人投票的法律，可是每次选举时总有无数在事实上排除黑人投票的例子。这是说人民单单有选举权是不够的，要实现民主，还得要人民使用他们的权利去投票；投票还是不够，一定要投票者认真的要用他这张票争取他自己的利益。要做到这一个程度就需要普遍的政治教育。美国在这方面还刚刚开始。以往普通人并不把自己的选举权看得很重的，所以很多人根本就不使用他们的权利，不去投票。

美国民主政治不能充分实现的原因，最重要的还是在人民的弃权。在美国到现在有八千万人是有选举权的，可是一九四〇年选举总统时，投票的只有五千万；一九四二年选举国会议员时只有二千八百万人投票，三分之二的选民弃了权。著名的例子是相当保守的 Martin Dies 是以 Texas 第二选举区中选民百分之五的票子当选议员的。为什么他只有这样的票子就能当选呢？那就是因为大多数的选民对于选举没有兴趣，弃了权。平均说来，在乡间的县长选举中投票数只有选民的十分之一；在城市里市长选举中投票数只有选民十分之五。这些数目实在表示了民主政治的基本困难。权利可以争取，可是要每一个有权利的人都利用他们的权利却不是在国会里通过一条法律就可以做到的。

最容易弃权的自然是家庭里的主妇、开店的小商人、工厂里做工的工人，和机关里的小职员们。他们一天忙到晚，没有闲工夫来研究当前社会经济等问题，来听取和比较各党的言论和政纲。他们若是有问题又没有询问解疑的地方。因之，他们对于自己的投票发生怀疑。哪一个政党的政纲是合于自己的利益呢？若不能明白回答这问题，即使投票也决不能是一种合理的政治行为。大多数的美国平民的确有此苦衷。

平民们要在美国复杂的政党政治中作合理的政治判断是不容易的。传统的政党界线却并不是划分在平民和财阀的利益分野上。以经济利益来划分政党在美国还只是一个新近的趋势：没有成为清楚明白的事实。大体上说来，民主党将变成收入较小的人民的政党，其中将包括有组织的劳工、小农、小商人和薪水阶级，有一天可以成为美国的平民党。共和党很可能成为收入较高的人民的政党，包括企业家、大农，及那些不需政府补助或支持便可以独立经营自己事业的人们。我说这只是一种可能，因为在目前，例外还是很多。以一九四〇年大选的情形说：南方的上层阶级和有体面的人还是民主党的台柱，北方的平民依旧有很多投共和党的票。黑种人里帮人的老妈子、艰苦的小农、工厂里的粗工似乎是再也没有理由去维持共和党了，可是他们偏偏拥护共和党——换一句话说，美国人民还是有很大部分的政治见解没有脱离林肯时代的旧窠臼。内战时的仇恨使他们不易用经济利益来选择他们的政治联系。

美国政党分野的因素太复杂，不论共和党或民主党本身都包含着各种方面利益（经济、社会、宗教等等）相冲突的分子。因为这个原因，在重要的几次大选中，愈是局面严重，竞选时各党所公布的政纲也愈是模糊，甚至不敢提出主要的争点。譬如南北战争前夜的竞选，黑奴解放问题却避而不谈。又譬如一九二〇年大战结束后，美国是否参加国际组织问题又是半遮半掩。罗斯福初次上台，袋里早预备下新政的方案，可是在竞选时，始终不愿详细说明方案内容。他的两次对手蓝敦和威尔基也同样的不愿对这方案有明显的和具体的攻击。再以最近这次大选来看，主要的争点，无疑是战后的经济政策，可是罗斯福和杜威所说的话中，实在看不出什么太大的分别。——这是规避作用，就因为美国的政党是历史堆积成的东西，不是依某一清清楚楚的利益为分野的。

投票时，各个政党既以半吞半吐、模棱两可的姿态出现，投票者若对于美国政治内幕没有深刻研究的，也就难于依理智来做判断了。这时财阀的钱发生效力了。美国在选举时并没有人拉了选民去吃面，他们用钱的方法是间接的，不是直接的。有钱的人可以要报纸作什么样的宣传，美国的报纸大多是靠广告，办报是做生意，目的在挣钱，所以不敢得罪登广告的顾客，于是大企业家可以从登不登广告中，干涉到报纸的舆论了。假若太相信了美国普通的报纸，你会预测上一次大选，杜威会胜利的。这就表明了财阀怎样用钱来干涉舆论的一端。广播在美国是一个重要的宣传工具，可是广播是私人的公司，你要想广播多少时候，就得花多少钱。其他如演说会、宴会，都是要钱的，有钱的人就拿出钱来津贴政党活动，条件是照顾照顾他们的利益。

一个普通的平民，只有靠报纸、靠广播、靠各种集会去决定他应该选谁。在这情形中，“天下乌鸦一般黑”也许是最入情理的结论。所以他们弃权了。好坏自己不负责。次一些的就依平时对候选人的感情来决定自己选举票上写哪个名字。威尔基曾说：“美国人并不根据政策投他们的票，而是依对候选人的感情来决定他们政见的。”谁是候选人，这人顺眼不顺眼是主要考虑。所以在竞选时，报上常有种种讨论说某某候选人其貌不扬，不容易得女子的票。某某候选人声音好听，讨人喜欢，很有被选希望；某某候选人多了一抹胡子，使人想起希特勒，不成。譬如此类的说法，我们从局外看去，有如以前上海滩上大学里选皇后一般神气。民主政治流到这地步时，结果可以使多数的平民选出庇护财阀的政府了。所以我说美国平民政治一直到目前才抬头，原因是在以往平民自己不在政治教育上用功夫，以致无法去利用民主政治所给予他们的权利来保障自己的利益。财阀政治得以确立，平民的弃权和盲从是一个重要的因素。

一百五十年的美国历史中最基本的趋势是财阀和平民两大势力的赛跑。在开国的时候，哈密尔敦和哲斐孙，代表这两种不同的势力。他们是华盛顿总统的左右两手。财阀的贡献是造下美国国富的基础，平民的贡献是奠定美国民主的磐石。每当财阀势力太跑得快的时候，平民惊觉了，就利用大选的机会，拥出一个反财阀的总统来，像哲斐孙、约克逊、老罗斯福、小罗斯福，都是著名而且富有魄力的平民总统。但是平民的政治意识薄弱，只要财阀稍稍退步，他们也就懒得再去顾问这“卑鄙和污秽”的政治了。于是财阀的势力又抬头了。就是在平民总统的任内，财阀的力量即使控制不了白宫，他们会退守议会，在互相牵制的宪法中，使平民总统无法行使权力；若是议会都控制不了时，他们还可以退守最高法院，把立法机关通过的法案加以“不合宪法精神”的名目予以阻挠。所以我们若单就白宫而论，过去的美国政府并不常是站在财阀身边的，但以行政、立法和司法的三部合起来看，财阀控制政治的事实也就显然了。

财阀政治最发扬的时间也许是在上一次大战之后。哈定接着威尔逊入主白宫，提出了“恢复常态”的政策。他所谓恢复常态是民营企业的自由发展和政府尽量津贴民营事业。在战时有很多企业是因战时需要由国家投资兴办的，一到哈定手里，就以极便宜的价钱卖给私人，换一句话说，把纳税人的财产差不多白送给了财阀。可是这时财阀们还有一个很麻烦的问题。在战时美国借出很大的一笔钱给协约国作战，战事结束了，协约国开始要回债。要他们回债，一定要让协约国把货物运到美国来销售；这样，美国的企业家不是要遇到竞争了么？

于是他们要求增加关税。这是一个最矛盾的政策，一方面要协约国赔款，一方面又不许他们货物连入。可是庇护财阀的哈定和胡佛居然实行这政策。著名的 Fordney-Mc-Cumber 和 Smoot-Hawley 税则是美国史上空前的保护税则。这税则是使上一次大战之后世界经济无法恢复常态的主要因素。这样还不够，哈定总统订下种种法案去津贴私人企业。政府哪里来钱呢？他又订下新的税则把国库的担负分配到中下层人民肩上。这样的庇护企业家，使企业家大得其利，造成了一九二〇年前后的所谓“企业繁荣”。

企业繁荣是社会病态的一阵虚火。大量财富集中到了少数人手上，发生了大量的储蓄，刺激投资和企业扩张。可是平民的收入却在减少（以农民来说，一九二〇到一九三二年，他们总收入从一五点五个十万万元降到五点五个十万万元）。一般人民的购买力赶不上生产力的膨胀，造成了生产过剩的现象，总结于长期的不景气。这情形我已在第七章中说起过。

企业家的利益不是在企业的繁荣而应当是在社会的繁荣。社会的繁荣是平民生活程度的提高。即使我们不走极端根本取消私人企业，私人企业的发展也必须跟着在社会繁荣的后面。只有平民利益的达到才能培养财阀的利益。所以一个社会的发达最后必然要走上庇护平民利益的路上。罗斯福的新政并不是“共产”，并不是取消私人企业，而是在给予私人企业一个繁荣的基础。因之，罗特威格在《罗斯福传》中说他是资本主义社会的最后保护者。平民政治并不一定是无产阶级专政，在平民政治中是可以包涵资本主义，可以容忍而且培养私人企业，因为平民政治的目的是在保障平民利益，提高平民生活程度，和私人企业并没有根本上的冲突的。美国是在试验这一种节制资本以保障平民的经济组织，能不能成功，那是以后的人所要作的判断了。

拾伍　平民世纪在望

民主政治最后的归宿必然是平民世纪。平民在社会中总是占绝对多数，民主的基本原则是多数统治，所以最后必然是平民统治。我用“最后”两字因为平民要实现他们的政治地位，必须能合理的使用民主政治所给予他们的权利，这不是旦夕可致的，必须经过一个时期的政治教育。财阀统治很可能是一个平民世纪的预备时期。当然，少数特殊权利的享有者，为了他们自身的特权，可能否认民主政治的原则，建立法西斯蒂政权。可是这在英美是不容易做到的。他们民主的传统太深，就是那些握有特权的人，在他们宗教精神的教育中，也不能内心无疚地踏上希特勒的道路。他们虽不会痛痛快快的自动的抛弃特权，可是只要他们在民主原则下争斗，他们至多只能利用平民的弱点，延迟平民世纪的实现，决不能改变这世界迈进的方向。

美国平民的政治意识慢慢在长成，在这次大战中，他们已开始自觉他们的政治责任了。这自觉可以说是发生于他们每个人对于自己生活的焦虑中。

自从胜利有了把握以来，最大多数的美国平民心目中的严重问题是战后的职业。现在在兵工厂里做工的、在前线杀敌的，面对着一个矛盾：战争早一天结束好一天。可是战争一结束，他们不必再造轰炸机、坦克、吉普车；不必再在远离家乡的异国军站里等候命令了。那时到哪里去呢？现在每星期三十元到四十元的工资，养家之外尚有一点储蓄；即在军队的，每月也有五十元养家费、四十元零用，战争一旦结束，若是找不到工做，怎么办呢？失业，是的，这是个老名字，美国工人从来那样耳熟，又那样可怕。胡佛任内的不景气，还不过十五年前的事，人人记得。这次战争结束后，会不会又重演这一幕惨剧呢？

他们这个忧虑并不只是受惊后的弓蛇之感，事实上不能不使他们着急。这里是一些数字：

一九三九年，美国工业里和农业里所有劳工人数不到四十五个百万，一九四三年已增加到五十五个百万，还有十一个百万的人在军队里。二千多万本来不做工的人现在或是做工或是当兵了。换一句话说，在这次战争中全人口中百分之十六的人民就了新业。职业里添了原有数量的五分之一。

一九三九年美国生产总值是一百个十万万元。一九四三年已增加到了一八八个十万万元，差不多加了一倍。在这数目中政府收买的工业品占八十五到九十个十万万元。换一句话说，普通工业还维持着战前原状，增加的是战时工业。

战争结束了之后，若是恢复了战前常态，则一半的生产力要缩小，五分之一的工人要没有职业。若是再有一次不景气，那就更不堪设想了。何况技术进步，即使维持战前生产水准，所需劳工数目一定会大大的减少。假定“常态”恢复了，或是不景气降临了，谁受到损失呢？大企业家不过少挣一些利益；直接受到冻馁的是失业的工人、没法出卖农产品的农民、商店倒闭了的小生意人、开了差的小书记、小职员。愈是收入小的受到不景气的打击也愈深。在美国战前有职业的人中每年收入在一千元以下的还有二十一个半百万的人。这些人是现在对于战后经济最担心的人。这些也就是美国的平民。

这情形若发生在我们这种国家，那只有袖手等待这噩运的降临了；至多也不过用求饶的口吻，哀告左右战后经济的势力，不要太狠心。可是在美国一个其有民主政治机构的国家，平民可以发生一个问题：我们能防止这噩运的降临么？这样，平民的政治意识提高了。他们可以在合法的政治争斗中去控制战后的经济计划，使这庞大的生产力不但不必缩小，而且可以作为改善平民生活之用。

要使八十八个十万万元在战时增加的生产力用来提高平民的生活程度，在以“谋利”为动机所安排的经济秩序中，是不容易做到的。其间必有一个时期需有一个权力能保证这大量消费品的生产一定有市场，另一方面又得保证人民可以在工作中创造得出这一大笔购买力来。这是要有一个力量能维持住就业的人数有增无减，工资也有增无减。这个权力只有是政府。政府能担负这责任，在必要时可以用税收来兴办公益事业，以增就业；低利放款，或甚至用津贴来维持短期间无利的企业；用保险和救济来维持暂时失业或无法工作者的生活。怎样去建立这一个肯担负、能实行这些战后经济计划的政府呢？平民们开始自觉他们要使用民主政治所给予他们的权利了，他们要在投票中得到一个庇护平民利益的政府。

我在上面已提到过在上一次大战结束之后所发生的财阀统治。这是可能在这次大战结束后重演的。而且假使平民们不在这时候争取政权，最自然的结果是财阀们再来一次“企业繁荣”。

一九四四年的大选是平民政治的一个试验。怎样能使最大多数的平民利用他们的选举权来争取他们生活攸关的战后经济安全？假定每一个选民都不弃权，平民政治也就有了成功的把握。平民人数多、票子多，所必然能发生决定那一党上台的作用。“假若这次大选能和一九四〇年一般有五千万选民投票，拥护平民利益的政党一定得胜。”这是在大选前，有政治眼光的人同意的结论。所以内行人在大选前都注意到选举票的总数上，杜威的朋友 Gallup，美国民意测验的主持者，只能盼望选民登记那天下大雨，不然杜威的失败是决定的了。

结果，罗斯福胜利了，八千八百万合格的选民中，有六千万人依法登记，有五千万人投了票。按 Gallup 的预测不过三千七百万张票子。因为在战时，大量人口流动之下，公私事务重压之下，没有了汽油不能自由往来的限制下，若没有特别的力量去鼓励选民投票，Gallup 预测是不致太差的。可是结果有五千万人投了票，决定了罗斯福联任，为什么呢？这问题的答案大概是很复杂的，但是事后的评论，没有人能忽视了 CIO-PAC 的成绩。这是美国政治中的新运动，我们要了解今后美国的政治，决不能不明白这个组织，这个运动。

去年年初，大选的空气已经弥漫了美国，我本是美国政治的外行，每天翻看报纸，五花八门，真是摸不着头路。尤其使我这种外行觉得困难的是那些缩写的名字。那时我到处都看到这 CIO-PAC 的字样，可是望文无从生义。从各报社论看去这一定是个怪物。有的报痛骂这东西是法西斯蒂，想包办工人投票；有的说这组织的负责人，Hillman 是犹太人，是立陶宛的原籍，闻得到红味儿；有的说，这组织的钱来路不明，可是巨大无比，预备收买总统；有的说 Hillman 既占领了工会，又要占领民主党了。可是另一方面，Hillman 的演讲光明正大，实在动人。他要求国会检查这组织的言论、公私信件，以及出入账目。美国检查机关 FBI 检查了几次之后，找不出破绽，证明了他们政治活动完全合法。至于 *B. M. Nation*，*New Republic* 等我所喜欢的进步派报纸又极力推崇和辩护这 CIO-PAC。有一次在报上甚至见到一张 Dorothy Parker，Heury Wallaca 和 Hillman 一同吃饭的相片。Dorothy Parker 是金岳霖先生最崇拜的女作家，华莱士是不用说，大家熟的。金老先生所崇拜的作家大概决不致和闻得红味儿的人在一桌用饭的罢。——因为这种种矛盾的宣传，使我不能不追问一个究竟。CIO-PAC 究竟是个什么东西，值得大家大惊小怪。

CIO 是 Congress for Industrial Organization 的缩写，译出来是工业组合联会。这联会是发生在罗斯福任内通过了 *Wagner Act*（一九三五年）之后。这法案保障工人有权组织工会和雇主作集体交涉，禁止雇主开除工会会员。于是以前“劳工武士”会（见第七章）改组成了 CIO，同时组织了钢铁、纺织、汽车业等工会，和 AFL（American Federation of Labor）分别成为当前美国最强的劳工组织。

美国工会主要的事务是在保障工人的利益、增加工资、减低工作时间。他们对于政治并没有特别兴趣，不过是一个普通影响政治的团体。这可以说是一种传说，我在上面已说过。一九四二年国会改选时，工会照例并没有积极参加政治活动。在这政治兴趣的低潮中，三个选民之中有两个弃了权，弃权的大多数自然是平民（包括工人）。结果这个国会立下了许多和工人利益相反的法案。罗斯福总统虽则极力奋斗，很多重要的政策无法通过，好像罗斯福要以增税来代替公债，使平民的负担减轻的法案被否决了。又像补助农产的法案也被否决了。一九四二年的国会正遇着战争，平民弃权的结果，使这次战争中有很多设施袒护了大企业家的利益，也因之使行政和立法两系统间时常发生磨擦。这教训使 CIO 感觉到工人的利益不只在厂内，必须参加厂外的政治活动了。而且工人不过是平民的一部分，和家里的主妇、店里的小职员等等有着共同的利益。何况战争已近胜利，战后经济的规定已成了平民所焦虑的对象。若是平民要争取自己的保障，在一九四四年的大选中必须联合起来才能发生决定作用。

平民之中，只有工人是有组织的。平民政治有抬头的一日，也必须从有组织的平民中发动。CIO 认清了这责任，组织了一个委员会，叫政治行动委员会，Political Action Committee，缩写是 PAC。

CIO-PAC 不是一个政党。美国劳工党还没有组成的希望（虽则美国曾经有过一个劳工党，但只限于纽约州内，后来内部分化，已经没有什么重要性）。这是因为我在上面已说过，美国的政治虽则已有向经济利益基础上分化的趋势，但是还不是一个事实。在这时若成立一个新党，新党的力量本身不足以取得多数选民的拥护，反而会减少接近工人利益的政党的票数，给敌党一个取得多数的机会。CIO-PAC 不成一个政党是出于环境的限制。它将来会不会成一个新党，那是以后的事。不少人在猜想一九四八年可能有个以 CIO-PAC 为基础的新党产生，甚至会推华莱士作候选人。那不过是一种预测罢了。这四年内的变化，谁敢说得定？

CIO-PAC 既不是一个政党，它有什么政治行动呢？他们的口号是“每一个工人投一张票”（Every Worker A

Voter）。至于投什么人的票，这不是 PAC 所要管的事了。CIO 一共有五百万个社员（一九三四年），有工会组织的工人在美国一共有一千四百万。若是每一个工会会员都投票的话，可以占选民总数的百分之十六，或实际投票者的百分之二十八。这个力量已够惊人。若是他们能动员所有工人都去投票，一共可以有五千四百万，加上每个工人的家属，其数更是庞大，几乎超过现有投票者的总数。——让我们再推想一步，若是他们都选一个人，这个人一定能当选总统，不成问题。美国是个民主国家，绝没有人能反对从投票获取政权的公式。这样说来，工人支配政府是有把握的了。最大多数的统治，必然会造成平民世纪。凡是和平民利益相冲突的特殊阶级也必然会在民主原则中消灭。在美国已到了决定阶段，只要平民认得清自己利益和不放弃他们投票的权利。CIO-PAC 就要做到这一点。

一九四三年十一月一日到五日 CIO 的第六届大会中通过了 PAC 的组织。一九四四年这组织开始工作了。到过 PAC 办公室里去参观过的人出来摇着头说："这哪里是个委员会，简直是一辈十字军。"紧张的空气使任何人，不论是赞成或反对的，全都觉得这是一般美国政治上的活力。就从那时起全国的舆论开始对CIO作种种批评和攻击，也就在这种种矛盾的批评和攻击中，使我这到美国去观光的人也不能不发生兴趣了。

CIO在这狂潮中坚决的立下了几个纲领：一、一切活动绝对公开；二、绝不强制工会会员选择他所投票的对象；三、尽量和一切平民利益的团体相合作，不居功。

这几条纲领他们确实做到了。

他们不但欢迎有人负责的个人和团体去参观，而且自动的要求国会来检查。Hillman分别在众议院和参议院出席调查委员会答复问题。FBI两次派检查员到他们办公室审查一切文件和账目。Hillman在一九四四年九月二十八日众议院的调查委员会前作了一篇动人的演说，其中有一段话说：

> 我不知道有任何政治团体像我们一样一切活动一贯地在光天化日之下进行的，像我们一样愿意给政府机关一切的情报。也许这是我们的奢望，因为我们想在这公开和合作的精神中

> 立下一个别的团体可以取法的榜样。但是，若是果真能这样，则即使我们别的毫无成就，这一点对于美国的政治上已有卓越的贡献了。

他们的工作是在供给一切人民政治判断时所需的真实材料。譬如某州要选举议员了，各党都提出了候选人。CIO-PAC 就把各个候选人的传记、言行、政绩公开发表给当地的选民看。这不是宣传，更不是“拉票”，因为所发表的事实是公开的，若是有捏造的话，当事人自可提出诉讼。至于当地人民愿意选谁，PAC 绝不能加以力的干涉。他们崇尚民主精神，民主精神的要义就在尊重每一个选民的意志。

他们知道从获得选举权到行使选举权之中，其间有很多事实上的阻碍。譬如选举前要登记，普通人可以因故忘了去登记，或是不知道日期和地点，没有同伴，不愿意麻烦等等。所以 PAC 最重要的工作就是派人去挨户指导和引起他们政治的兴趣，这件事他们叫 Canvass，招徕的意思。招徕员是自愿的。PAC 预备下种种手册教这批招徕员如何去招徕。*Life* 杂志上曾有过一张全幅的照相，例证一个十七八岁的姑娘如何挨户去招徕。

他们更预备下一个具体的政纲叫 *The People's Program For 1944*。这是经 CIO 执行委员会所通过的政治要求。他们并不从政党立场来立政纲号召选举票，而是借此宣布人民的要求，让各政党自己去采取。任何政党若能采取他们的纲领，他们就拥护谁。一九四三年各党大会选择总统候选人时，CIO 的代表都参加。等到两大党的政纲决定之后，CIO 就宣布民主党的政纲合于他们的纲领，拥护罗斯福的竞选。可是这并不限制工会会员投杜威的票。

CIO 明白他们不过是平民中的一部分，所以自始至终都和其他劳工组织相合作，后来为了推广这种政治服务运动起见，组织了一个“全民政治行动委员会”（The National Citizen's PAC）那是一九四四年六月里的事。任何人都能参加，其中有很多有名的作家和教授们，Dorothy Parker 就是其中的一人。到八月里 Nc-PAC 又成立了一个宗教联合会，很多教士参加了这平民阵线。

CIO-PAC 是一九四四年开始活动的组织，到现在还不过一年半。一个新生的婴儿，又遭着有计划、有财力的反对，居然成了没有人能忽视的政治势力，那实在是一个美国政治史上的奇迹。它已诞生，还要时间去培养它，使它成年，使它完成政治服务、政治教育的任务。

为什么它会有这些成功的呢？它的招徕使一九四四年的大选达到五千万票子的数目，成为罗斯福联任的决定因素。它又改造了一个比较进步的众议院，监督政府保障平民利益，制定战后经济方案，压倒种种种族偏见、国际离异，独占企业的势力——它能得到这些收获，理由是很简单的，那是因为美国的政治在过去的几年中已开始发生了一件重要的变化，那就是有选举权的人民开始利用他们的权利来保障他们的利益了。这也就是华莱士所谓“平民世纪”的序幕。平民政治意识的成熟必然会发生平民政治。CIO-PAC不过是执行这时代的要求，促进这过程罢了。

要了解美国政治的动向，我们绝不应忘了这根本的趋势。这趋势也不会限于美国。现在是一个天下一家的世界，没有理由可以相信，和平民利益相反的政权能在这世界的任何角里长久维持下去。这是平民的世纪。

拾陆　经济的修正

自由和平等不是消极的。在政治上，美国的平民已经逐渐的觉悟，他们消极的厌恶权力并没有保障他们所渴求的自由和平等，牵制和平衡的政治组织固然使要做事的总统们无从放手做事，但是在消极性的政治中培养出了强大的经济权力，笼罩了全社会的活动，大多数的人民失去了生活的保障，在失业的威胁下战栗。经过了一个半世纪，平民的力量在政治上逐渐表现了，他们不再在选举里弃权，他们要使用他们传统精神所授予他们的权利来参与政治了。这是积极的民主，积极的民主在参与两字。

平民若控制了政治，政治的力量是否会遏制经济的发展？我们可以想像的是平民对于经济权力的反感，这反感很可能转变成私人企业发达的阻碍。在美国历史上已经表现了好几次。最著名的是杰克逊的反对国家银行。我在上面说过国家银行制度是哈密尔敦的杰作。他集合了私人资本，用国家的名义，得到特殊权利。这无疑是为财阀谋利益的设施，可是限制国家银行的活动，固然可以使平民称快一时，同时却阻碍了美国经济的发展，受损失的不只是财阀，平民也在其内。这其实又落了消极民主的窠臼。哲斐孙所希望的小农民主，在科学发达工业勃兴的十九和二十世纪是不可能实现的了。消极的经济民主忽略了这事实，因之，在美国历史上像昙花一般，一现再现，总是没有结果的。用政治力量去限制私人企业的过分膨胀是可以的，但是若没有其他的道路可以容纳经济的发展，一切的愿望都会落空，像老罗斯福的反对托拉斯一般，全无实效。

在美国，除了极少例外，差不多没有人在原则上反对私人企业的。在我们电信铁路全是国有的，没有人觉得这些社会公用事业应该由私人经营，可是在美国，若有人主张铁路国有，一定会引起强烈反感。这是传说，没有多大理由可说的。所以他们的问题不是国营和民营的问题，而是私人企业的发展怎样能普遍的提高人民的幸福。

私人企业并不一定是有违人民幸福的，可是因为以往的私人企业是以“谋利”为目的，所以有时可以有违人民幸福。所谓谋利是指投资者一定要有利息，利息愈高，企业愈顺利。企业发展的路线也是依利息较高的方向走。投资者得不到利息时，企业也得停顿。谋利的利字既限于这狭小的定义，所以有时会和较远或全社会的利益相左。举一个例子说：为企业本身着想成本愈低利息愈大；工资上能低一些就能减低一些成本。在工业突起的早年，童工和女工成了最有利的劳力，因为儿童和女子并不是家庭的正常挣钱的人，他们可以在较低的工资中出卖他们的劳力。在企业本身说没有理由反对这成本较低的劳力，可是为了社会的利益着想，没有教育机会的儿童长大了，不但社会不能得到他们最大可能的供献，而且死亡率、犯罪率的高涨，增加了社会的费用。女工的利用可能影响她们的家庭生活，若是工作环境不良，她们过度劳作的结果，可以影响社会上第二代的康健和教育。这是极容易明白的道理，所以现在任何文明国家都已经禁止利用童工，以免预支和浪费社会的本钱，对于女工的利用也必须加以种种条件，使她们不成为便宜的劳工了。

私人企业为了要求眼前的较高利息，他们可以用种种方法维持他们所定的价格。这是发生独占的一个原因。可是在维持某一商品的高价时，可以减少能享受这商品的人的数目，同时也限制了其他商品的市场。电力是一个很好的例子。电力公司为了它本身的利息，不愿减低电价。所以一直到现在，美国的农家中还有三分之二不能使用电力。没有电力的家庭，自然不能有电灯、电气冰箱、电炉。在这种人家，做主妇的就得费很多的时间和劳力去经管家务，限制了这社会的文化水准；同时，因为没有电，电工材料的市场也不能销售到这些人家去。没有公共的电气冰箱，很多的农产品不能种。譬如杨梅，若是不能保存，就不值得种。为了电气公司个别的利息，使社会整个生产力无从发展。

私人企业对于资源的利用也会发生浪费的弊病。美国 Ducktown 的铜矿是一个例子，这铜矿附近有极好的森林，炼铜厂就砍下来作燃料。同时，炼铜时所发生的硫磺，从烟囱里散布到四周，把剩下的森林都熏死了。

雨水接着把土层冲洗，沙土淌在河里，把鱼赶跑了。下游的水电厂，因为水里泥沙太多，常常停电。结果，这地方的铜矿是开发了，可是其他的种种实业都受到了坏影响。若是这铁矿的经营者心目中不啻是炼钢，他们可以保存这森林，可以把硫磺作为副产，则这地方的渔业、农业以及电力都不会受损失。

每一个公司追求它自身最高的利息并不能保证社会经济最大的发展，并不能保证对于资源的最大利用。纯粹立在经济的立场说，私人企业的方式并不能实现科学所允许人类的最大收获。

有很多反对私人企业的是站在财富分配不公平的伦理基础上。这自然是应当注意的，科学知识是社会的产业，从科学知识里得到的财富也应当归之于社会大众，可是很多答复这攻击的可以说，私人企业并不一定排斥财富的公平分配。假若公司的股票能分散在大多数人的手上，这问题不就解决了么？我有一次在纽约一条街上走，抬眼望着一座摩天楼，顺口问和我一起走的朋友，谁是这高楼的主人，他笑着回答我："你要不要也做个主人？"我惊异的望着他，还以为他是在说笑话。他接着说："我是认真的，你有钱，就可以在股票交易所去买这座高楼的股票。"其他的工厂、铁路都是如此的。现在美国的趋势确是在尽量的想做到资本家的大众化。譬如，他们一方面奖励储蓄、指导投资，以及把劳工的奖金购买了本公司的股票发给工人；另一方面征收累进财产税和遗产税，一扬一遏，逐渐可使财产分配趋于平均。这样说来，私人企业和财富分配不平均可以是两回事。

我在这里所给予私人企业的责难却不是从财富分配观点上来立论的，私人企业的专为个别企业的利息着眼，可以和社会整个的利益相左。它不容易实现科学所允许我们对于资源最有效的利用和开发。我在美国曾和不少朋友讨论私人企业的问题，我觉得美国人并不根本否认私人企业的原则，而是想怎样去避免私人企业可能发生的弊病。换一句话说，他们觉得以往个别的企业确是不足完成现代社会的经济使命。可是补救的办法并不在以其他原则来代替私人企业，而是要在私人企业之上加上一个社会的目的。

我在上面说过缺乏社会目的的私人企业可以发生有

损于社会的结果，可是若在社会目的之下，私人企业同样的可以获得利息。社会目的和私人目的并不是冲突的，因为它们并不在一个层次里。社会目的给私人目的一个范围，在范围之内，两者是相合的。私人企业的繁荣最后是靠社会的繁荣。社会不繁荣而私人企业讲繁荣会引导到搁浅私人企业的不景气。社会繁荣所以是私人企业繁荣的前提。若是在短期间私人企业因为要顾全社会目的而遇到限制，这并不是两者的冲突，而是私人企业轶出了轨道，会遭遇打击的警告。

怎样去给私人企业一个合于社会目的的范围呢？社会目的并不是一个抽象的伦理观念，而是在经济组织中生活的人所能在生活中感觉到的利益的综合。譬如上游铜矿公司去设计它的企业时，能顾虑到在同一社区中开发资源的人所具的利益，它就可以不会浪费森林里的木材，和炼铜时所得的硫磺了。最理想的自然是在各种相关的企业之上有一个相互讨论的机构。不但企业之间应有更合社会目的的配合，而且在从事于共同经济活动中各种职务的人间也得有这种讨论的机构，使他们能共同完成大家的利益。换一句话，只有共同的参与才能达到社会目的的确立。这是经济民主的基本原则。

以往私人企业的经济的确有许多弊病，到了二十世纪的中叶，各个国家都在设法矫正这些弊病了。同一的目的之下，可以发生种种不同的方法。每个国家有它不同的传统和不同的处境。在某一传统和某一处境中所试验成功的方法并不一定能应用到另一传统和另一处境之中。事实上，世界各国怎样去达到在社会的共同利益下最有效的发展它们的经济，大概是不会采取同一方法的。我们自然应该向各种方法一视同仁的去学习，但是若忘记了自己的传统和处境，就不免会有画虎成犬的结果。美国在试验他们的方法，正如苏联在试验苏联的方法。我们没有理由因为有任何成见，为了美国的方法和苏联不同而分别我们的好恶。重要的是在从各国的传统和处境中去了解他们为什么采取某一种方法，更从领略各种方法的妙处中去为自己社会寻求一个适合于自己传统和处境的方法。这就是我所谓“邦各有其道”的真谛。

美国在这方面试验最有成绩的是罗斯福最得意的杰作 TVA。TVA 是 Tennessee Valley-Authority 的缩写，译出来是泰尼西河流域管理处。在一九三三年罗斯福受命于美国的人民来征服当时的不景气。这是美国传统经济弱点暴露得最明显的时候。美国的人民下了改造的决心，拥护罗斯福所提出的新政。新政之中最永久和最具有基本改造美国经济意义的设施就是TVA。我在将要离开美国的时候文化联络处的朋友建议我们去参观这会决定美国经济出路的试验。她更加了一句："罗斯福太太会说，一个到美国来观光的客人，若没有参观TVA，就回国，是一件最大的遗憾。"可是我就抱了这遗憾回国了。为了要减轻我的遗憾，在美国的朋友们陆续寄了不少关于TVA的书籍。我愈看就愈觉得罗斯福太太的话是一点不错的。我这本初访美国的小书也不能不用我最后一个遗憾来作结了。

泰尼西河在美国相当于黄河之在中国。这是一条吃人的河流。位于美国的东南部，集五条支流的水量，流经七州，并入密西西比河中。这个区域是美国东部雨量最高的地方。水量大，水流急，可是出口却极为狭小，所以每逢大雨的年份，这拥有四百五十万人口的流域就遭殃了。这里是美国的贫民窟，我在上面所提到百乐大道上上演纪录最长的《烟草路》一剧就是取材于这个区域里的实况。

罗斯福的试验是想用科学来改变这吃人的“黄河”变成一条生财的大道。就是这些泛滥为患的水，若是纳入正规，可能发生巨大的电力，这电力用到生活事业上去就可以增加大量的财富；这财富分散到人民手上就变成巨大的购买力；这购买力可以刺激生产，维持工业的活动，获得繁荣，克服不景气。这些话说说是容易的，做的时候，却不是那样简便了。要使泛滥的水变成推动发电机的力量，就要筑坝，筑坝不能零散、个别进行，必须把整个区域通盘筹算，测量水位，择地分段兴筑。使水流在一定的速率中流动，在坝上需筑巨大的蓄水池，因之要把原有的村落、铁路、农田改位变道。不但所需的资本宏大，而且在权力上也决非私人企业所能经营。电力产生了怎样去推动生产？谁去经营？怎样能使这自然动力所生财富能分散到人民手上变成购买力？这些问题更不是普通私人企业所能回答的了。

罗斯福要求国会通过一个法案设立泰尼西河流域管理处。这管理处有权执行如何利用、保育和发展泰尼西河及两岸的资源，用以促进国家的社会和经济利益。这管理处是独立的，直接向总统和国会负责。有一定的事做，有一定的责任要负。到一九四四年年底，二十一个大坝完成，一共费了四百七十五个百万元，除了少数公债外全部是由国库担负的。十年里动员了二十万劳工，挖掘了十七万五千英亩的地面，筑成湖泊。搬动了一千二百英里的公路和一百四十英里的铁路。筑坝所用的石料和洋灰比埃及七个金字塔还要多十二倍。单以洋灰论比了巴拿马运河所用的多两倍半。这工程在历史上是空前的。到一九四四年，这河上的水力发出了一百二十万万瓦的电力，合美国在上次大战时代全国所有电力的一半。每一瓦电力相当人力工作十小时。所以这曾经带来无穷灾祸的泰尼西河，在这工程完成时，发生了一千二百万万小时的人力，相当于我国全国人口去服务三天。在这区域里的人每人平均每年所用电力在这十年里从四百瓦增到二千五百瓦（美国平均每人一千五百三十瓦），换一句话，每一个人经常有七个工人，每天做工十小时，来服侍他。这个巨大的动力用来开发这流域的资源，真是非同小可。单以电力本身说，每年可以获得纯利一千万到一千五百万元，三十年之后，能以把所投资总额回清；至于因为有了电力而增进的人民收入那是不容易算了。在没有兴办这水利以前，每家每年平均收入只有一百五十元。现在平均的收入至少已增加了十倍到二十倍。举一个实例来说，有个十年前每年收入二百元的农家，去年，用了拖曳机来耕种的结果，一年得到了四千六百元，增加了二十三倍。

怎样使电气变成平民的收入的呢？我在这里不能详尽的介绍，只能举一个例子。泰尼西河连年水患，土地已冲洗得很瘦，加上了种植玉蜀黍和棉花，地力更是消耗得利害，所以农业出产极低，这种瘠地需要重事培养。管理处一方面解决水患，有了蓄水池，不致再有泛滥，另一方面利用电力制造大量的磷质肥田粉精，这种肥田粉精和石灰加入了土里之后，可以培养一种豆类植物，豆类植物根上的微菌从空气里吸收氮，制成氮化物，增加土地的肥料。一磅磷在这过程中可以产生三磅磷化物。地力恢复了，然后改变农作物。以前这流域多种玉蜀黍和棉花，现在他们可以因地制宜的改种经济作物了。譬如有一个地方杨梅长得极好，以前无法保存所以不能多种。管理处请了专家发明急速冷藏法，建立公共的电气冷藏库，这问题就解决了。

这管理处虽是政府设立的机关，但是和普通国营的性质不完全相同。它等于一个公司，不是一个衙门。而且这许多发电水坝很可能由政府发行公司债，把所有权转移到私人手上去。政府不过是垫一笔款，负兴办时的风险，一等这企业上了轨道，有了可靠的赢利之后，就可以脱手，归于私人的资本去维持了。这是指水坝而言，至于其他因为有了电力而兴办的农、工、商业则完全以私人企业来经营，管理处只处于协助和联络的地位。

先以农业说起，管理处负责研究土壤，和恢复地力的技术问题。试验成功之后，就由当地的县农业处召集农民，把这个道理讲明，农民中有自愿接受这新技术的可以成立“表现农场”。管理处于是派专家到这些“表现农场”上去和自愿试验的主人讨论出一个程序，管理处最初送他肥田粉精。在这“表现农场”上逐渐的把新的农具输入，可是一切都要由农民自动来采取，不许强制。凡是在当地表现了成绩的，“表现农场”自然不愿再放弃，他的亲戚邻居、朋友们也可以放胆跟着做。管理处并不津贴表现农场，因为惟有实在在经营中证明有利的才值得推广。从“表现农场”扩充成为“表现区”，由几十家人联合试用新工具、新作物。管理处不过是一个技术顾问。农民自己组织“农场改进会”来合作自助。他们并没有实行集体农场，更没有把集体农场国有化，可是，在技术上他们得到现代科学所可以给他们的好处，生活程度提高了二十多倍了。

管理处对于工业和商业都是采取协助性质。譬如肥田粉精试验成功了，管理处并不独占这商品，而奖励私人公司去制造，使产量可以增加，受益的农田面积也可以增大。在一个码头为了交通的便利，亟需有个轮船公司，可是这地方的人并不起劲。管理处宁可不方便，并不考虑自己去开办个轮船公司。他们用各种方式去鼓励私人出来经营。这原则是极重要的。一切计划是否真正合理，真正对于人民有利，最好的判断者不是计划者，而是实行这计划的人民。若是一种肥料确实会增加生产的，增加生产是人民的要求时，这肥料自然会受人欢迎，也自然会有工厂肯制造的。若是需要用权力来强迫的话，计划本身大概颇有毛病。只是一个“计划”的最好的试验，信任人民。

泰尼西流域管理处不是一个国营的独占事业，而是无数小的私人企业的咨询、提倡、协助、联络机关。因为有这种超于私人企业的服务机关，才能使各种企业在为本身求利息的条件下不致损害社会的公共利益。而且在开发资源的整个观点下，使各项私人企业能获得互相依赖的好处，不致浪费资源。这种机关可以不限于当前的利息，看得远些，作种种研究和试验。所研究和试验的也可以是直接可以实用的问题。泰尼西河流域管理处所发明的急速冷藏法和提炼水分法对于这次大战的贡献极大。战后可以引起食料生产和运销的大改革。

泰尼西河流域管理处并不只是一个水利公司。它是从具体的、有效的动力供给起，使人民先改良他们的经济生活，在改良生活中使他们对于科学技术有认识，产生对于改良生活的自信力。更在参与社会共同的目的中活动，使他们发觉生活的提高有赖和别人密切合作。于是他们不致再对一切公共事业不闻不问，对于政治发生消极的反感了，民主是要在参与中体悉到它的意义。经济的民主必需实现在共同的经济活动中。只有共同的经济活动能把各个人的利益清清楚楚，明明白白的摆到眼前，人才会觉得经济民主之可贵。经济生活也许是最自觉的生活，贫困饥饿是一点不含糊的，所以从经济民主的实际经验中也最能训练一个能和别人合作、尊重别人意见的精神。经济民主可以充实和维持政治民主。从消极性的民主变成积极性的民主之间的桥梁就在这里。

TVA 是成功的。它描出了一个新的经济方式。至少可能是美国将来经济方式的一个模型。可惜我没有在离美前几天中去参观一趟。这真是我初次访美中的美中不足，令人遗憾的事！

拾柒　余笔

写完了以上十六章，从头又看了一遍，虽则名称是《初访美国》，可是写下的既不是游记，又不是论文，至多不过是我个人在美国的一年所搜罗来的一些零星的感想。在一年里想在这复杂的文化中去找出一个头绪来，其实已经是奢望，何况，我在美的一年大部分的时间又是用在写作上，观察和阅读的机会实在太少。在离美码头上，我曾对送我上船的庆堃说："我抱了要认识认识美国的心愿来此，结果，我比刚到美国时更糊涂了，人家若问我美国是怎样的，叫我怎样回答？我真有一点心慌。"这担心的事，果真碰着了。我本来打算免得盲人领瞎马，爽性拒绝回答这类问题为是。可是，看到了国内对于友邦既这样隔膜，同时和友邦事实上的接触却又这样密切，这距离确使我寒心。似乎有一种责任心推着我，要我做着我自己觉得并不能胜任的事。我终于写下一些介绍美国的文章，分散在各报纸和各杂志上发表了。在这暑假里，有几天闲工夫，把它们又整理了一下，成这本略有系统的《初访美国》。

美国朋友们或是熟悉美国的朋友们看了这本小书也许会觉得我没有能了解美国。这正是我想要以这本书来引起的批评。我想借此和美国朋友或熟悉美国的朋友们说，中国人对美国还是缺乏了解，连那些在大学里教书的，甚至到过美国去的，对美国也是隔膜得很。这本书若被用来例证这句话，我心里很满足，因为我自觉这句话确是不错的。若是我这本书果然引起了这批评，我希望做此批评的朋友们不要就停住在这里，而能进一步想想：中国人对于美国不了解，不认识，或是美国人对于中国不了解，不认识，会有什么结果？为什么中美有了这样长的接触，有不少人到过美国，或来过中国，而两国还是会这样陌生？若是我们认为缺乏了解并不是一件好事情，我们应当怎样才能增加一点相互的认识？我愿意在这本小书的结尾，提出这些问题来说一说，也所以说明为什么我愿意冒着别人的指摘而发表这种印象性质的介绍文字。

我这次旅行回来，我知道我的性子变得更急了，人家看我这匆忙的神色，为我担心，做学问念书人连一点悠闲的味儿都没有了，像什么，书怎么念得好？我怎么不知道，又怎么不想优哉游哉一些，可是我一想起了这世界，我心神真是闲不下来。世界变得太快了！

威尔基周游全球回去写了一本《天下一家》。地球这样小！那是每个空中旅行过的人的同感。地球上任何一点到任何另一点，以现在的飞机速度论，不能超过六十小时。飞机速率还在加速，一年之后，又不知快到什么程度了。在这门户洞开、瞬息可至的小天地里，人们的生活自然会密切得像在一个家里一般；痛痒相关、休戚相系。像密支那，片马，那些蛮荒之区，已成了世界最热闹的空运站，两三年前谁敢作此预言？不知这些地方的人民，仰头看见那和蜻蜓一般多的飞机会做何感想！

世界真是小得很了。我听见朋友说过一件事：纽约百乐大道的咖啡馆里面有一群客人正在谈论轰炸柏林。大家嘻嘻哈哈的好像是在说山海经，远得在另外半个地球上的事。说到一半，旁边桌上两个英国空军移座过来。“柏林的火焰真高，”他们插口说，“气流急得像大风暴，飞机逃得不快，会吸进去似的。”旁边的人问道：“两位参加过么？”“是的，昨天晚上那次最凶了。”——大家瞠目结舌，不相信他们是活人。他们忘记了纽约离开伦敦不过十几小时了。

世界缩小得太快，快到我们心理上竟赶不上有此准备。不要说密支那，片马那些偏僻之区，或是我们内地这类被军事和政治封锁了相当久的地方，就是像美国那种交通便利、新闻自由的国家，离开海岸，一两天的内地，同样还有“孤立主义”的遗老。他们一生没有见过台湾人，没有听见过塞班岛，而他们的孩子却在这些名字都说不准的地方冲锋陷阵，为的却又是要去解放一些没有见过的人民。在他们看来，怎能不是荒唐？我们又怎能盼望他们不主张“莫管闲事”？我们自己也何尝不是这样？天下一家是个外形，内里住着的还是小门墙隔开着，各自起炉子的多房媳妇。我们传统的大家庭很有点像这时代世界的缩形。身世不同、互不了解的妯娌们，偏偏要住在一家里，经营共同生活，于是误会、口角、骂街都是免不了的日常事务了。大家庭还可以分家，兄弟阋墙，至多也不过是断绝往来。这个天下一家却分法可分，逃法可逃，因之更麻烦了。

假定缺乏互相了解的人民间自己承认对别国人民不太了解，情形也就好得多。“不知为不知”然后可以知。若是对方有一种行为或是一种意见，看来或听来，不太合自己的脾胃时，先假定自己可能误会别人，正可慢一慢激动自己意气，平心静气的想一想。很多无谓的争执也就可以免除了。可是普通人却并不如此。在一种传统里长大的人不容易承认世界上还有其他不同的活法。自己是这样，别人也不能不是这样。于是不同文化的人碰面时，问题就多了。

说出来这道理是极简单的，可是在实际生活中，人们偏偏最易把简单的事忘得干净。让我举个例子来说。我们自己口口声声说自己是民主国家，这不要紧；可是接下去，以为世界上一切的民主国家都像我们一样的，那就错了。譬如说，我们的言论是统制的，一切和官方不相合的言论是没有机会发表的，所以凡是发表出来的言论，政府直接间接都负有责任。这种“民主”方式有它的特色，好不好是另外一个问题。可是我们却绝不应自己不分官方和私人的言论，而认为世界上一切民主国家都没有这官私之分。事实上，我们却常忽略了这个区别。我在美国的时候，曾因为美国几家报纸（美国报纸全是私人的）发表了批评我们中国的言论，引起了国内很大的反感，很多人甚至觉得这是美国政府不够朋友的表示。其实，美国政府哪里管得着这件事。他们宪法里立下人民言论的自由，哪个政府要干涉人民这基本自由，哪个政府就立不稳。同时，也因为人民言论自由，所以政府并不负人民言论内容的责任。没有人能向美国政府提出质问，说美国哪家报纸骂了他。我们不明白，或忽略了，美国的民主内容和我们不同，于是不免自寻烦恼了。

我们在文化复杂的世界中和生活方式不同的人接触往来，要能避免这种烦恼，至少要明白这一个简单的道理：别国人的生活可能是和我们不同的。我们怎能使大家能明白这简单的道理呢？这就需要我们对于各种文化的差别比较出来加以说明。若是不知道自由言论是民主的要义，而误以为民主必然和统制言论混在一起的人，他因美国某报说了几句不中听的话，而埋怨美国政府不加以取缔，是很自然。我们需要的是指明给他看，美国政府是不能干涉人民言论的，而且自由言论是民主的要义。我相信他明白了这些事实之后也就不会再埋怨美国政府了。知识是消弭误会的良药。

若是美国朋友觉得中国人因美国某报的言论而埋怨美国政府是没有道理，进而认为中国人民不讲道理，那也是错了。中国人民不明白美国的民主精神是不能单怪中国人民的。试问在这次大战之前，有谁把美国文化的各方面有系统的介绍给中国人民知道呢？上海的美国商人目的是在推销美国商品，各地的美国牧师目的是在传布美国文化中的一小部分，宗教。关于美国文化的真相却没有人有兴趣去解释给中国人民听。就是那些到美国去留学的人，得到了学位，得到了某项专门知识之后就满足了，很少对美国文化有过全面的研究，即使有的话，回国后，关在学府大门里，普通的中国人民也没有机会从他们得到一些关于美国的认识。若我们现在中国人民不了解美国，甚至误解友邦，我真不能不为中国人民呼冤了。

我想，经了这次战争，大概没有多少人会觉得还能闭关自守，也大不致再有人会因怕家丑外扬而有意阻碍国际间相互的了解了。可是，一直到现在为止，却还没有任何专门的机关和专门的人才来担负分析文化和促进文化间相互知识的责任。我们到现在还只是靠一些旅行者偶然得来的印象来沟通民族间的了解。我这本小书就是一个例子。这显然是不够的。有时甚至是会曲解，反而增加误会。可是在没有有计划和有系统的介绍各国文化之前，也只能靠这些不完全的印象来担负这责任了。我希望从这小书的缺点里能引起负有沟通各国文化责任的机关和人员的反感，而促进他们在这方面更完善的工作。

严格的讲来，做介绍文化工作的事并不是容易的。介绍文化不是宣传，而是分析。宣传所引起的是感情，爱好或憎恶，可是分析所引起的是理解，超出了爱恶，而入于欣赏。分析所要根据的是全盘事实，绝不是短期的观光者所能胜任的。以目前的学术传统说，实在还没有养成这种人才的科目。我在美国曾参加过几个大学里为军队所特设的区域训练班。在这里不妨介绍一下。美国政府明白这次战争是全球性的，美国将在世界各地进行战争，而且现代的战争不能缺少当地人民的合作，为军事上的需要，作战的部队必需对于战区的人民有较深的了解。而且他们也知道军事胜利之后，对于解放区的种种设施，都得根据当地的民情来擘画，来推行，所以召集了各种专门人才设立区域训练班。譬如，他们对于日本、对于朝鲜等区域，早就得预备下行政人员。在区域训练班里，地理、历史、文化各方面全得顾到。于是专家之间得互相配合，贡献他们各人的专门知识，来完成对某一区域的介绍。这就是我心目中想的文化介绍工作。

我参加这些训练班之后的感想很多，其中有一点值得在这里提到的，就是凡是有关于文化方面的分析困难很多。譬如你若为一个美国朋友解释中国文化，你时常会发现他们会发生种种你从来没有注意过的问题。有很多我们觉得极平常的，可是在他们却正是最不能了解的地方。原来，我们所谓文化介绍，其实是在用自己文化来和别人的文化相对照。所以要介绍美国文化给中国人，介绍人不但要明白美国文化而且还要能明白中国文化。

为美国人解释中国，我们中国人自己反而有时不及美国人。要有这种贯通两国文化的人才实在不容易。

若是我们在这时发觉为什么中美接触了这样久，竟其没有一本解释美国的书流传在中国读者间，我们不应当认为这是出于疏忽，真正的原因是在我们还没有这种人才。要有一个对于中美文化都有了解的人，必须加以特殊培养的。以往，以及现在，我们并没有培养这种人才，怎能希望有这种书问世呢？

我们以往并不是没有关于中西文化的讨论，可是所讨论的却偏于原则的问题。讨论内容不能不限于原则的原因就在我们还没有先做一步基本的，也是必需的工作：详细的、有系统的介绍西洋文化。因为没有这步基本工作，所以结果发生了“全盘西化”等说法。我们要不要西化的判断是必须根据我们对西方文化的认识。全盘西化也就必需全盘了解西方文化。试问，在中国有谁敢自己承认了解了全盘西方文化呢？什么时候我们才能根据事实来讨论怎样去接受西方文化呢？

这次战争是快结束了，战争给我们明明白白看到的就是我们对于怎样毁灭的知识长进得实在太快。当我写这余笔时，报纸又送来了原子炸弹的消息。原子力的运用已产生了人类整个毁灭的可能性，要避免这可能性的实现（这应当毫无问题的是人类共同的目标），我们实在只有用同样的努力去发展可以促进人类合作的知识。若是沟通文化是可以消弭国际误会的话，这无疑是我们不应再事延缓的工作了。

我怎能不心急呢？我们这一代处在这一个历史的试验里！

三十四年八月八日于呈贡

三联经典文库第二辑简目

《游击战教程》　明凡 / 著

《游击战术纲要》　陶剑青 / 编著

《汪精卫卖国的理论与实践》　钱俊瑞 / 著

《抗战以来》　韬奋 / 著

《陕行纪实》　楚云 / 著

《随军散记》　沙汀 / 著

《被日寇囚系半载记》　王研石 / 著

《倭营历险记》　房沧浪 / 著

《活跃的新西北》　田影 / 编著

《保卫华北的游击战》　刘清扬　陈北鸥等 / 著

《徐州突围》　《徐州突围》编委会 / 编

《沦亡的平津》　长江　小方等 / 著

《淞沪火线上》　胡兰畦等 / 著

《瞻回东战场》　长江　罗平等 / 著

《东线的撤退》　胡兰畦等 / 著

《抗战中的西北》　徐盈 / 著

《鲁闽风云》　徐盈等 / 著

《西线生活》　西北战地服务团集体创作

《中国解放区见闻》 ［美］福尔曼著 / 朱进译

《全面抗战论》 潘汉年 / 著

《日本的间谍》 范士白自述 / 尊闻译

《日本大陆政策的真面目》 国难资料编辑社 / 编

《民众动员论》 李公朴 / 著

《中国外交史》 钱亦石 / 编著

《太平洋军事地理》 蒋震华 / 著

《世界经济地理讲话》 思慕 / 著

《列强军力论》 ［德］马克斯 · 威纳尔著 / 宾符 仲持 梅益等译

《近代国际关系史》 张铁生 / 著

《太平洋现势手册》 沈志远 石啸冲 / 编著

《近代世界政治史》 钱亦石 / 著

《从战争到和平——一九四五年的世界政治》 乔木 / 著

《战后日本问题》 思慕 / 著

《最近一年间的国际动态（1946.7–1947.6）》 《东北日报》社 / 编

《论政党》 翟放 / 著

《法与宪法》 韩幽桐 / 编著

《中华民国宪法刍议》 罗家衡 / 著

《民主 · 宪法 · 人权——作之民》 费孝通 / 著

《宪法论初步》 潘念之 / 著

《对反民主的抗争》 韬奋 / 著

《农村改进的理论与实际》 江恒源 / 著

《上海产业与上海职工》（上下）　朱邦兴　胡林阁　徐声 / 合编

《陶行知教育论文选辑》　陶行知著 / 方与严编

《中国通货膨胀论》　杨培新 / 著

《中国及其未完成的革命》　H·普拉特著 / 蒋天佐译

《中国的建设问题与人的训练》　卢作孚 / 著

《论中国特殊性及其他》　艾思奇 / 著

《中国经济问题讲话》　钱俊瑞　徐雪寒　王渔邨　姜君辰　骆耕漠 / 合著

《中国经济的道路》　许涤新 / 著

《中国财政之病态及其批判》　孙怀仁 / 著

《官僚资本论》　许涤新 / 著

《五四运动之史的评价》　陈端志 / 著

《中国通史简编》（上下）　中国历史研究会　范文澜 / 主编

《论文学的工农兵方向——读〈在延安文艺座谈会上的讲话〉》　雪苇 / 著

《中国近代史（上编　第一分册）》　武波 / 编著

《文学百题》　傅东华 / 编

《中国史学之进化》　周谷城 / 著

《论民族形式问题》　胡风 / 著

《论批评》　荃麟等 / 著

《中国史纲》（第一卷上下、第二卷上下）　翦伯赞 / 著

《近代中国思想学说史》（1–4）　侯外庐 / 著

《中国政治思想史》（上下）　吕振羽 / 著

《中国哲学史纲要》　向林冰 / 著

《中国政治史讲话》　钱亦石 / 著

《中国社会经济史纲》　王渔邨 / 著

《新财政学大纲》　千家驹 / 著

《太平天国革命运动论文集——金田起义百周年纪念》

华北大学历史研究室 / 编

《理性与自由——文化思想批评论文集》　胡绳 / 著

《战斗者的诗人》　黄药眠 / 著

《国语文法》　曹朴 / 著

《教育哲学》　张栗原 / 著

《妇女问题讲话》　杜君慧 / 著

《婚姻 · 子女 · 继承》　沙千里 / 著

《性教育新论》　布士克　雅各生合著 / 董秋斯译

《狱中杂感》　杜重远 / 著

《七人之狱》　沙千里 / 著

《爱迪生传》　伍况甫 / 译

《歌德自传》（上下）　歌德著 / 思慕译

《尼赫鲁自传》　［印度］尼赫鲁著 / 毕来译

《列宁传》　［苏］凯尔任采夫著 / 企程　朔望译

《罗斯福总统传》　C. Mackenzie 著 / 张尚之译

《托尔斯泰传》（1–3）　［英］阿尔麦 · 莫德著 / 徐迟译

《革命文豪高尔基》　［美］亚历山大·康恩著 / 韬奋编译

《鲁迅纪念特辑》　新中国文艺社 / 编

《回忆鲁迅先生》　萧红 / 著

《人民文豪鲁迅》　平心 / 著

《亡友鲁迅印象记》　许寿裳 / 著

《鲁迅思想研究》　何干之 / 著

《鲁迅研究》　夏征农 / 编

《过来的时代：鲁迅论及其他》　雪峰 / 著

《电影戏剧表演术》　洪深 / 著

《日常心理漫谈》　［美］约瑟夫·查斯特罗著 / 曾宝葹译

《心理常识漫话》　朱智贤　杨云美 / 著

《读书的方法与经验》　王任叔 / 著

《美国黑人生活纪实》　［美］加德维尔　斯坦倍克著 / 董秋斯译

《初访美国》　费孝通 / 著

《事业与成功》　［美］马尔腾著 / 汪原放译

《萍踪寄语（初集）》　韬奋 / 著

《一生的幸福前途——〈生活周刊〉信箱选集》　生活书店 / 编选

《深刻的印象》　生活周刊社 / 编

《海外的感受》　生活书店编译所 / 编

ISBN 978-7-108-04693-2
9 787108 046932 >
定价：29.00元